Kunst mit uns

Lehrerband 1/2

Herausgegeben und bearbeitet
von Claudia Lutz und Verena Willmann

C.C.BUCHNER
Mildenberger

Kunst mit uns

Unterrichtswerk für Kunst in der Grundschule

Herausgegeben und bearbeitet
von Claudia Lutz und Verena Willmann

Lehrerband 1/2

1. Auflage, 1. Druck 2017

Alle Drucke dieser Auflage sind, weil untereinander unverändert, nebeneinander benutzbar.

Dieses Werk folgt der reformierten Rechtschreibung und Zeichensetzung. Ausnahmen bilden Texte, bei denen künstlerische, philologische oder lizenzrechtliche Gründe einer Änderung entgegenstehen.

Redaktion: Katja Heckes, Köln
Layout und Satz: Wildner+Designer GmbH, Fürth
Illustrationen: Bettina Kumpe, Braunschweig; Wildner+Designer GmbH, Fürth
Umschlag: Wildner+Designer GmbH, Fürth
(nach Vorlagen von Bettina Kumpe, Braunschweig)
Druck und Bindung: creo Druck & Medienservice, Bamberg
Presswerk: optimal media GmbH, Röbel

www.ccbuchner.de

www.mildenberger-verlag.de

ISBN C.C.Buchner 978-3-661-**39816**-7
ISBN Mildenberger 978-3-619-**16211**-6

Inhaltsverzeichnis

Inhaltsverzeichnis der CD-ROM

Alle Kopiervorlagen und Beobachtungsbogen finden Sie auf der dem Buch beigefügten CD-ROM.

Nun bist du an der Reihe! (zu Seite 37-38)

- KV 29-30: Legekarten (Gestaltete Umwelt)
- KV 31-33: Wortkarten (Gestaltete Umwelt)

Fantasiewelten (zu Seite 44)

- KV 34: Märchenimpulskarte (Satzanfang)
- KV 35-36: Märchenfiguren (Namenskarten)

So geht's: Über Kunstwerke sprechen (zu Seite 47-49)

- KV 37-39: Wortkarten (Bildende Kunst)
- KV 40: Munch: „Vier Mädchen auf der Brücke"
- KV 41: Zeitleiste zu Edvard Munch

Ein rätselhaftes Bild (zu Seite 51-56)

- KV 42: Klee: „Schwarzer Fürst" (Ausschnitte)
- KV 43: Was wäre, wenn ... (Satzanfang)
- KV 44: Titelvorlage für Kunstwerke
- KV 45-49: Bilder erzählen (Satz- und Wortkarten)

Erfahrungswelten (zu Seite 67-68)

- KV 50: Mein Porträt (Ausstellung)
- KV 51: Wortkarten (Porträt)
- KV 52-54: Fotobeispiele zur Gestaltung

Visuelle Medien (zu Seite 72)

- KV 55: Placemate (Vorlage)
- KV 56: Wortkarte (Visuelle Medien)

So geht's: Material verbinden (zu Seite 76-77 und 80)

- KV 57-59: Wort- und Satzkarten (Gestaltete Umwelt)

Fantasiewelten II (zu Seite 82 und 88)

- KV 60-61: Wort- und Satzkarten (Fantasiewelten)

*Diese Seiten sind interaktiv gestaltet und können frei bearbeitet bzw. verändert werden.

„Das Geheimnis der Kunst liegt darin, dass man nicht sucht, sondern findet."
Pablo Picasso

Ein Wort zuvor

Den ersten Schritt haben Sie mit dem Kauf unseres Buches schon getan.
Ganz im Sinne von Picasso wollen wir Ihnen einen Leitfaden an die Hand geben,
Kunst zu „finden" und vor allem auch zu unterrichten.

„Kunst mit uns" ermöglicht einen Zugang zur Kunst – und zwar für Kinder und Lehrkräfte.
Dieser Band ist gleichzeitig eine konstruktive Hilfe für fachfremd Unterrichtende, bietet aber
auch kunstversierten „Profis" neue Anregungen.

Lassen Sie sich also einfach inspirieren von dem, was Sie finden werden.
Wir wünschen Ihnen dabei viel Vergnügen.

Claudia Lutz und Verena Willmann

Theoretische Grundlagen

Grundüberlegung zum Kompetenzerwerb im Fach Kunsterziehung

Seit einigen Jahren folgen in Deutschland die Lehrpläne dem Kompetenzkonzept – mit entsprechenden Konsequenzen für die Unterrichtsentwicklung. Mit dieser Neuorientierung ergeben sich vor allem ein verstärkter Schülerbezug sowie ein deutlicher Fokus auf die Lernergebnisse (definiert als Kompetenzen) und damit auf die Lernprozesse.

Kompetenzen werden in den jeweiligen Schulfächern erworben. Und dafür benötigen diese Fächer entsprechend Modelle. Im Fach Kunst stammt das erste fundierte Konzept vom BDK-Fachverband für Kunstpädagogik aus dem Jahr 2010. Bei diesem wurden die beiden klassischen Dimensionen des Kunstunterrichts, Produktion und Rezeption zum Ausgangspunkt genommen und so entstand ein Vorschlag, was Schülerinnen und Schüler jeweils können, wenn sie erfolgreich Bilder, Modelle, Figuren, Objekte produzieren bzw. rezipieren. Dazu gehören auch die hier im Buch verwendeten Kompetenzbereiche:

Wahrnehmen / Beschreiben:
Die Schülerinnen und Schüler nehmen die visuelle Welt offen, sensibel und differenziert wahr. Dieses Wahrnehmen zeigt sich z. B. im Beschreiben von Phänomenen, in der einfühlsamen Annäherung an Fremdes oder im spontanen Äußern von Empfindungen.

Imaginieren / Entwerfen:
Bildkompetente Schülerinnen und Schüler entwickeln Ideen und bildhafte Vorstellungen. Dies zeigt sich etwa beim bildnerischen Entwerfen in allen Gattungen und Medien.

Analysieren / Deuten:
Die Schülerinnen und Schüler begreifen Kunstwerke, Gebäude, Gebrauchsgegenstände usw. mit dem Ziel eines tieferen Verständnisses.

Urteilen:
Sie beurteilen nach nachvollziehbaren Maßstäben – nicht nur die eigenen bildnerischen Werke sondern auch visuelle Phänomene in der Umwelt (von Bildern ihrer Mitschülern bis hin zu Kunstwerken).

Gestalten / Herstellen:
Die Schülerinnen und Schüler beherrschen ein Grundrepertoire bildnerischer Lösungen (Komposition in Farbe und Form, Fläche, Raum und Zeit) sowie handwerklicher Verfahren in verschiedenen Materialien. Darüber hinaus haben sie die Bereitschaft, Lösungswege auch experimentell zu erproben und so das eigene Repertoire zu erweitern.

Durch Bilder kommunizieren:
Sie verstehen Bilder als Ausdruck von eigenen Vorstellungen, Empfindungen und Wahrnehmungen wie als Mitteilung für einen möglichen Betrachter.

Die Schulbuchreihe „Kunst mit uns“ leitet in hervorragender Weise zum Erwerb dieser Fachkompetenzen an. Und sie zeigt darüber hinaus, wie diese mit den Anforderungen von Selbst-, Sozial- und Methodenkompetenzen verbunden werden können.

Dr. Ernst Wagner, München
Mitarbeiter am Lehrstuhl für Kunstpädagogik
der Akademie der Künste, München

Wie funktioniert der Erwerb von Bildkompetenz?

Unsere Umwelt entwickelte sich in den letzten Jahren zunehmend zu einer von Bildern geprägten Welt. Neue Medien beeinflussen das Kommunikations- und Informationsverhalten von Kindern und Jugendlichen nachhaltig. Um sich in dieser bildgeprägten Welt zu orientieren und somit am kulturellen Leben teilhaben zu können, ist es wichtig, Bilder zu verstehen und richtig zu deuten. Ziel eines modernen Kunstunterrichts ist deshalb, Kinder und Jugendliche darin zu unterstützen, eine eigene Bildkompetenz zu entwickeln.

Für die Unterrichtspraxis bedeutet das, bei Schülerinnen und Schülern fachliche Kompetenzen wie die eigene Wahrnehmungsfähigkeit (Rezeption), gestalterische Ausdruckfähigkeit (Produktion) und die Reflexionsfähigkeit zu fördern.
Der Erwerb von Fachkompetenz vollzieht sich sowohl über die Auseinandersetzung mit eigenen und fremden Bildwerken als auch über die Umsetzung eigener Ideen in die Praxis. Rezeption, Produktion und Reflexion sind also immer eng miteinander verknüpft.

Rezeption

- genau betrachten, wahrnehmen
- beschreiben, deuten, analysieren
- sich orientieren in der bildgeprägten Welt von heute
- Bilder im Kontext verstehen

Produktion

- eigene Fantasie und Kreativität entwickeln
- Realisierungsmöglichkeiten reflektieren
- Gestaltungsrepertoire erweitern

Reflexion

- über eigene und fremde Bilder nachdenken
- Ergebnisse reflektieren
- Arbeitsprozesse reflektieren

Neben der Entwicklung fachlicher Kompetenz erwerben die Schülerinnen und Schüler allerdings auch überfachliche Qualifikationen wie z. B. Selbst- und Sozialkompetenz, die sich in allen Lernbereichen wiederfinden lassen.

„Bildungsprozesse im Fach Kunst" sind nach Constanze Kirchner „vor allem Prozesse ästhetischer Bildung – und diese sind im besonderem Maße mit der individuellen Persönlichkeitsentwicklung sowie mit der Verantwortung für zukünftige kulturtragende schöpferische Leistungen verknüpft." *(C. Kirchner/Hrsg., Kunstunterricht, Kompetent im Unterricht in der Grundschule, Schneider Verlag, Hohengehren, 2012, S. 6)*
Lerninhalte sollen demnach so angeboten werden, dass die Schülerinnen und Schüler einen Kompetenzzuwachs erfahren. Dieser Kompetenzzuwachs sollte sich nach Kirchner „auf die gesamte Persönlichkeit des Kindes beziehen". *(Quelle s. o. S. 5)*

Überträgt man diese personellen Kompetenzen nun auf den Kunstunterricht, bedeutet das für die Entwicklung von Selbst-, Sozial-, Methoden- und Sachkompetenz:

Selbstkompetenz

- positives Selbstkonzept im Bildnerischen entwickeln
- Lust am bildnerischen Gestalten
- unerwartete Ergebnisse zulassen können
- Fähigkeit zu Selbstreflexion

Sozialkompetenz

- Kooperationsfähigkeit
- gemeinsam an einer Aufgabe arbeiten
- eigene Stärken und Schwächen einschätzen
- die Arbeiten anderer wertschätzend beurteilen

Methodenkompetenz

- Fähigkeit zum bildnerischen Gestalten
- sich Bilder erschließen können
- Präsentationsmethoden anwenden

Sachkompetenz

- sachgerechtes Anwenden der Gestaltungsmittel und -techniken
- Verwenden von Fachbegriffen
- Wissen über Kunstwerke

„Kunst mit uns" greift genau diese Aspekte der Kompetenzentwicklung für das Fach Kunst auf und bietet Kindern eine Orientierungshilfe, sich in der bildgeprägten Welt zurechtzufinden.
Wir unterstützen Schülerinnen und Schüler dabei, mit eigenen und fremden Bildwerken selbstbestimmt und reflektiert umzugehen, Bildsprache richtig zu deuten und auf vielfältige Weise selbst zu gestalten, um ihre Bildkompetenz zu erweitern.

Der Aufbau von „Kunst mit uns" fördert die gezielte und aktive Auseinandersetzung mit Kunstwerken und deckt gleichzeitig die Kompetenzerwartungen für das Fach Kunst ab.

Motivierende, abwechslungsreiche Aufgaben lassen Schülerinnen und Schülern viel Raum, um mit verschiedenen Materialien zu experimentieren, neue Gestaltungtechniken auszuprobieren und unterschiedliche Arbeitsmethoden kennenzulernen.
„Kunst mit uns" weckt so die Lust am bildnerischen Gestalten und unterstützt die Kinder dabei, ein positives Selbstkonzept im Bildnerischen zu entwickeln.
Zusätzliche Materialien unterstützen insbesondere auch fachfremd unterrichtende Lehrkräfte bei der Umsetzung eines kompetenzorientierten Kunstunterrichts in der Praxis.

Zur Konzeption von „Kunst mit uns"

künstlerisches Interesse wecken

„Kunst mit uns" weckt durch neue Ideen, kreative Umsetzungsmöglichkeiten und kindgerechte Illustrationen das künstlerische Interesse der Schüler.
Es vermittelt durch kompetenzorientierte Aufgaben die Freude am Fach Kunst und macht das Kind zum Hauptakteur künstlerischen Gestaltens.

Kunst auch fachfremd kompetent unterrichten

Besonders fachfremd unterrichtenden Lehrkräften bietet „Kunst mit uns" einen kindgerechten und praxisbezogenen Einstieg in die Welt der Kunst.
Die einzelnen Kapitel fördern die gezielte Auseinandersetzung mit Kunstwerken, binden verschiedene Gestaltungstechniken vielfältig ein und decken dabei gleichzeitig die Kompetenzerwartungen für das Fach Kunst ab.
Leicht verständliche Unterrichtsbeispiele und zusätzliche Materialen ermöglichen eine problemlose Umsetzung der Inhalte im eigenen Unterricht.

kompetenzorientierte Aufgabenkultur

Die Aufgaben in „Kunst mit uns" sind so konzipiert, dass sie die Vorerfahrungen der Kinder aktiv einbinden und somit einen direkten Bezug zur kindlichen Lebenswelt herstellen.
Eine offene und flexible Aufgabenstellung ermöglicht es jedem Kind, sich mit eigenen Ideen und nach individuellen Fähigkeiten kreativ einzubringen.
Unsere Aufgaben unterstützen kooperatives Arbeiten in Kleingruppen und Teams, fördern eine gezielte Reflexion des eigenen Lernprozesses und bieten vielfältige Ideen für fächerverbindendes Lernen.

Methodenkompetenz anbahnen

Durch die Möglichkeit, ein bildnerisches Verfahren im Hinblick auf die Gestaltungsabsicht frei wählen zu können, bahnt „Kunst mit uns" schrittweise Methodenkompetenz an. Die Schüler werden dazu angehalten, Gestaltungsprozesse sinnvoll zu planen und Wahlentscheidungen zu begründen.
Dabei erwerben sie spielerisch fachspezifische Arbeitsweisen, sowohl für das Betrachten von Kunstwerken als auch vor allem für das eigene kreative Gestalten.

Selbst- und Personalkompetenz fördern

Motivierende, abwechslungsreiche Aufgaben lassen den Schülern viel Raum mit verschiedenen Materialien zu experimentieren, neue Gestaltungstechniken auszuprobieren und unterschiedliche Arbeitsmethoden kennenzulernen.
„Kunst mit uns" weckt so die Lust am bildnerischen Gestalten und unterstützt die Kinder dabei, ein positives Selbstkonzept im Bildnerischen zu entwickeln.
Kooperative Aufgabenstellungen und die Offenheit gegenüber überraschenden Bildwelten führen zur Erhöhung der Sozialkompetenz.

Sachwissen steigern

Kapitel für Kapitel baut „Kunst mit uns" ein Repertoire an Fachbegriffen auf, mit deren Hilfe die Schüler die Welt der Kunst in Worte fassen können.
Sie dienen sowohl der Kommunikation über bildnerische Werke, als auch der Analyse, Deutung und Wertung eigener und fremder Arbeiten. Die Schüler erhalten aber nicht nur einen Überblick über ausgewählte Künstler und Techniken, sondern erweitern anhand der gewählten Aufgabenbeispiele ganz individuell ihr bildnerisches Gestaltungsrepertoire.

Konzeption

Verknüpfung von Lernbereichen und Prozesskompetenzen

Fünf Lernbereiche bilden die Basis für die Themenauswahl unserer Buchreihe „Kunst mit uns". Untereinander sind sie auf vielfältige Weise vernetzbar, sodass die einzelnen Lernbereiche nicht chronologisch abgearbeitet werden müssen. Es lässt der Lehrkraft vielmehr die Freiheit, selbst zu entscheiden, wann welcher Bereich und welche Gestaltungstechnik im Unterricht behandelt wird.
Die jeweiligen Kapitel bilden die verschiedenen Lernbereiche ab und ermöglichen eine enge Verbindung mit den prozessorientierten Kompetenzen.
Das erleichtert – vor allem fachfremd unterrichtenden Lehrpersonen – den Einstieg in das Fach Kunst nach den Richtlinien eines kompetenzorientierten Kunstunterrichts.
In jedem Kapitel von „Kunst mit uns" werden verschiedene Angebote vorgestellt, die dem Lehrer eine vielfältige Auswahl an Umsetzungsmöglichkeiten bieten.
Je nach geplanter Gestaltungs- oder Verfahrenstechnik, thematischer Einbettung oder Schwerpunktsetzung bei den prozessorientierten Kompetenzen kann entsprechend vorgegangen werden.

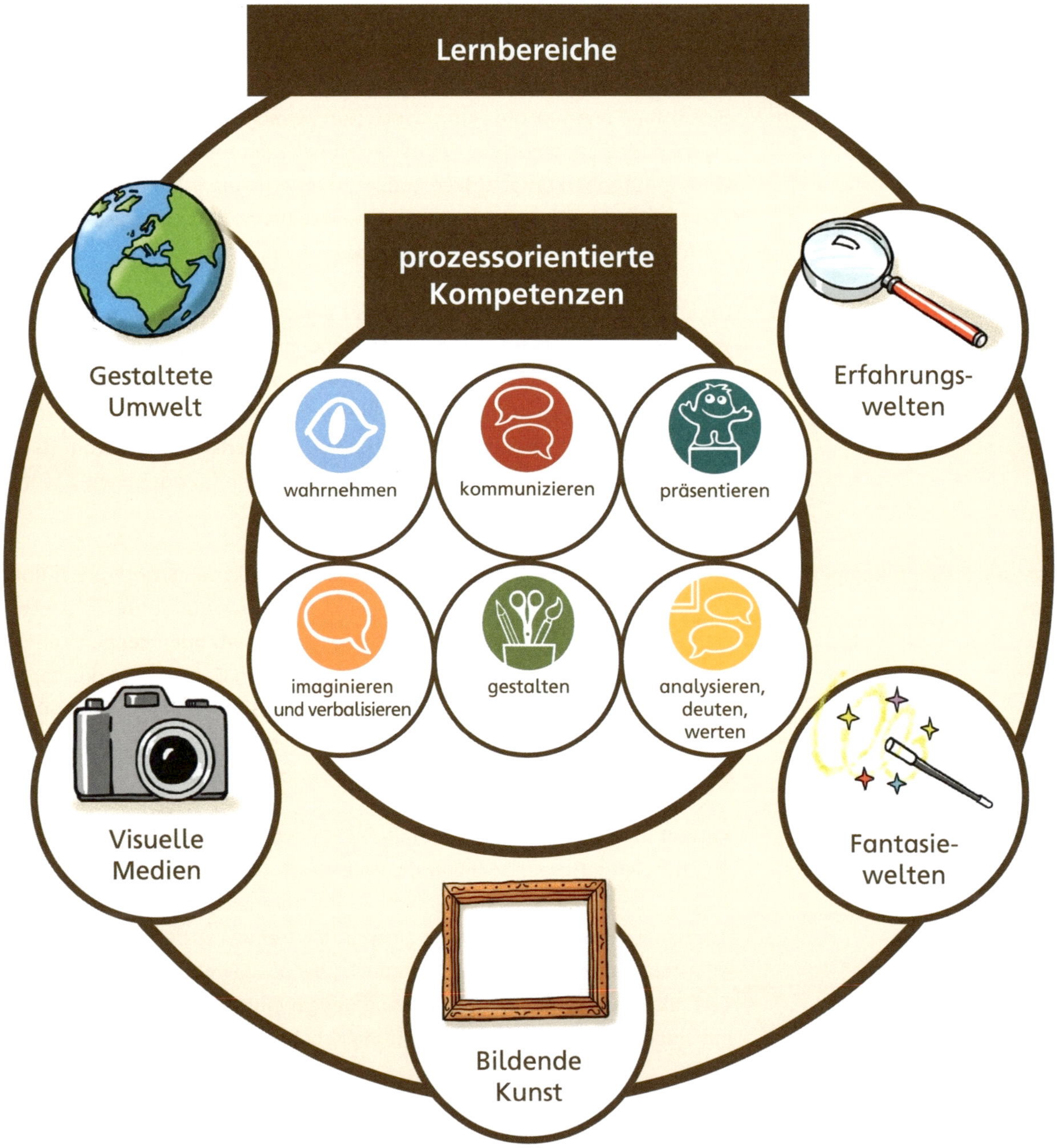

Konzeption

Die Lernbereiche im Überblick

Lernbereich | **Worum geht es?**

Erfahrungswelten

Genaues Wahrnehmen und Beschreiben von Personen, Tieren und Objekten aus der eigenen Umwelt

Schwerpunkt 1/2:

- Schemata erkennen und Unterschiede feststellen, z. B. „Was macht den Hund, die Katze, den Vogel aus?“ „Wie ist ein Gesicht aufgebaut?“
- „Wie kann ich das darstellen?“

Schwerpunkt 3/4:

- Details und Varianten erkennen, z. B. verschiedene Fellarten erkennen („Was unterscheidet den Pudel vom Dackel?“)
- „Wie kann ich verschiedene Häuser darstellen?“
- Farbnuancen erkennen, beschreiben, verwenden

Ziel:

- **eigene künstlerische Ausdrucksfähigkeit steigern**

Visuelle Medien

Umgang mit neuen Medien

Schwerpunkt 1/2: Fokus auf digitaler Fotografie

- grundlegende Techniken kennenlernen
- Fotos herstellen, mit Fotos weiterarbeiten

Schwerpunkt 3/4: Kritische Betrachtung von Fotografien

- Bilder aus der Werbung deuten
- einfache Spielszenen dokumentieren
- einfache Fototechniken kennen lernen

Je nach Ausstattung der Schule und Schüler: Computer, Tablets, Handys einbinden

Ziele:

- **neuen Blick auf die eigene Umwelt durch den Sucher der Kamera fördern**
- **Medienkompetenz erweitern**

Gestaltete Umwelt

Die eigene Umwelt bewusst wahrnehmen

Schwerpunkt 1/2:

- gestalten mit Dingen aus der Natur bzw. der eigenen Umgebung, z. B. sortieren, ordnen, umgestalten von verschiedenen Materialien
- Querverbindung zum Sachunterricht

Schwerpunkt 3/4:

- die eigene Umwelt gestalten, z. B. Räume gestalten, Raumwirkungen erfahren

Ziel:

- **später Zugang zum Bereich Architektur und Design**

Konzeption

Lernbereich	Worum geht es?
Fantasiewelten	Eigenständiges Umsetzen visueller, optischer, akustischer Eindrücke; verschiedene Gestaltungstechniken erproben und kreativ anwenden Schwerpunkt 1/2: • Anregungen aus z. B. „Geschichten umsetzen" Schwerpunkt 3/4: • Atmosphäre von z. B. „Geschichten umsetzen" **Ziele:** • **innere Vorstellungen aktivieren** • **eigene Kreativität ausleben** • **Methodenkompetenz steigern**
Bildende Kunst	Werke ausgewählter Künstler genauer betrachten; Wege zur Bilderschließung kennenlernen; Wirkungen wahrnehmen und beschreiben; Fachbegriffe erarbeiten; Anregungen für eigene Gestaltung gewinnen Schwerpunkt 1/2: • Zugang zu Kunstwerken und Künstlern aufbauen Schwerpunkt 3/4: • Fragen an Kunstwerke stellen **Ziele:** • **Orientierung in der bildgeprägten Welt von heute** • **Bilder im Kontext verstehen** • **Teilnahme am kulturellen Leben**

Prozessorientierte Kompetenzen im Überblick

Wahrnehmen:

Beschreiben und äußern von Empfindungen zu visuellen Eindrücken

→ Grundlage für die Orientierung in der bildnerischen Welt

Imaginieren:

Bilder aus der eigenen Fantasie beschreiben und bildhafte Vorstellungen entwickeln

→ Anknüpfungspunkt für individuelle und originelle Ideen

Durch Bilder kommunizieren:

Bilder als Mittel zur Kommunikation eigener Vorstellungen, Empfindungen, Wahnehmungen

→ zunehmend bewusst nutzen

Analysieren und deuten:

Wahrnehmung unterliegt immer dem individuellen Deutungsprozess, Kinder erwerben Fähigkeiten, Bilder bewusst zu analysieren

→ erworbene Fachsprache sowie Analyse- und Deutungsmethoden als Grundlage für das Bewerten

Gestalten:

Erwerben eines Grundrepertoires bildnerischer Darstellungs- und Ausdrucksmittel sowie Verfahren

→ aktive Teilhabe an der bildgeprägten Welt

Werten:

Urteilen über selbstgeschaffene Werke sowie Bewerten visueller Phänomene in der Umwelt

→ über ein schnelles Urteil hinaus zu einem reflektierten Bewerten gelangen

Aufbau des Schülerbuches

Das Schülerbuch „Kunst mit uns 1/2“ ist in ein Einführungskapitel und je fünf Themenschwerpunkte unterteilt. Zur leichteren Orientierung für Lehrkräfte und Schüler ist jedes Kapitel farblich gekennzeichnet und mit einem eigenen Symbol versehen. Eine kurze Einführung zum Umgang mit dem Lehrwerk führt die Schülerinnen und Schüler in die Thematik ein. Übergangsseiten fassen die erworbenen Kompetenzen komprimiert zusammen und geben einen Ausblick auf die nächste Jahrgangsstufe. Ein Lexikon und das Künstlerverzeichnis bilden den Abschluss des Schülerbandes.

Der Aufbau der einzelnen Kapitel erfolgt grundsätzlich in einer immer wiederkehrenden Gliederung:

Beschreibung der Seiten | **Nähere Erläuterungen zu den Seiten**

Die Auftaktseite

Jedes Kapitel beginnt mit einer **Auftaktseite,** basierend auf einem Kunstwerk oder einem künstlerischen Problem, das die Kinder direkt in die Thematik einführt.
Diese Seiten wurden textlich so reduziert, dass sie den Kindern viel Raum zum Nachdenken geben, und schon zu Beginn des jeweiligen Kapitels zum gemeinsamen Austausch anregen.

Der inhaltsbezogene Teil

Bezogen auf die verschiedenen Lernbereiche setzen die **Folgeseiten** je nach Kapitel inhaltliche und fachliche Schwerpunkte.
Fachbegriffe werden eingeführt oder ausgewählte Künstler und ihre Werke näher beschrieben.
Begleitet werden die theoretischen Ausführungen immer mit verschiedenen Arbeits- oder Beobachtungsaufträgen für die Schülerinnen und Schüler.

Die Technikseiten

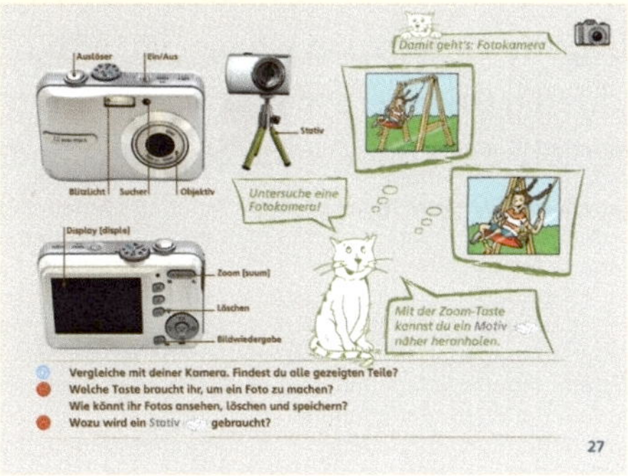

Die grauen Technikseiten **„Damit geht's“** oder **„So geht's“** bilden die Grundlage für das eigenständige Arbeiten von Schülerinnen und Schülern.
Themenbezogen und anschaulich werden verschiedene Gestaltungsmittel erklärt. Die beiden Katzen als Leitfiguren führen in künstlerische Techniken ein und bieten verschiedene gestalterische Umsetzungsmöglichkeiten an.

Das Schülerbuch

Beschreibung der Seiten	Nähere Erläuterungen zu den Seiten
Die Gestaltungsseiten 	Auf den **Gestaltungsseiten** ermöglichen flexible, offene Aufgabenstellungen einen ganz individuellen Zugang zu den einzelnen Themenbereichen und fördern die Selbsttätigkeit der Schülerinnen und Schüler. So unterstützt „Kunst mit uns 1/2" Kinder mit unterschiedlichen Lernvoraussetzungen darin, eigene Bildlösungen zu finden und diese kreativ umzusetzen.
Der Rückblick 	Ein **Rückblick** nach jedem Kapitel fasst erworbene Kompetenzen zusammen. Weiterführende Aufgaben regen die Schülerinnen und Schüler zur vertiefenden Auseinandersetzung mit der Thematik an.
Die Übergangsseiten 	Am Ende einer Jahrgangsstufe befinden sich **Übergangsseiten**, die das erworbene Wissen noch einmal benennen und einen Ausblick auf die nächste Jahrgangsstufe bieten.
Das Lexikon 	Im **Lexikon zur Kunst** werden die im Buch verwendeten Fachbegriffe einfach und kindgemäß erläutert. Zur leichteren Orientierung sind die erklärten Begriffe innerhalb der Kapitel grau abgesetzt und mit einem Lexikonsymbol versehen.

Das Schülerbuch

Beschreibung der Seiten

Nähere Erläuterungen zu den Seiten

Das Künstlerverzeichnis

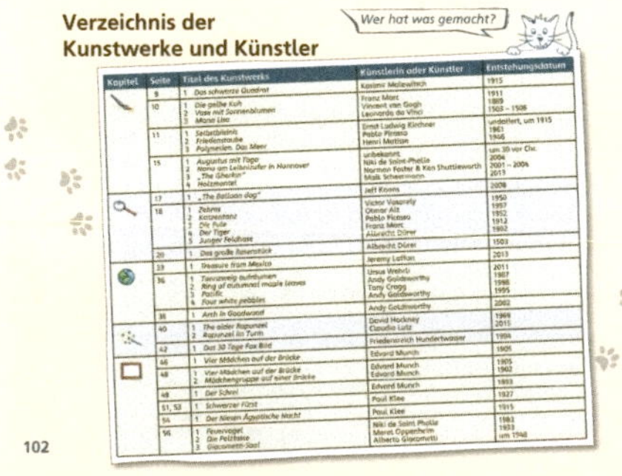
Verzeichnis der Kunstwerke und Künstler

102

Das **Künstlerverzeichnis** gibt einen zusammenfassenden Überblick über alle im Buch genannten Künstler und ihre Werke.

Aufstellung der Kompetenzerwartungen

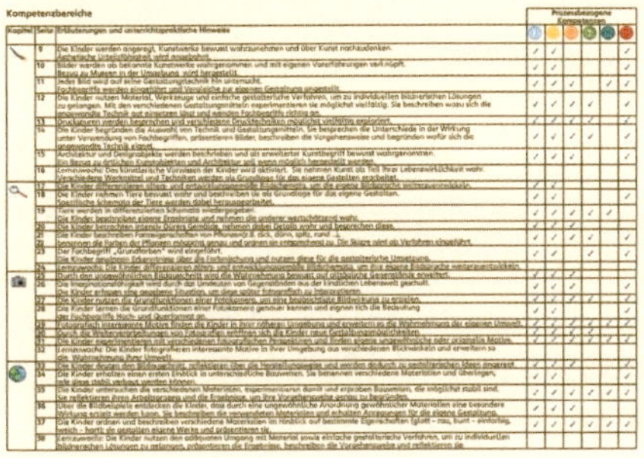

Ein abschließender Überblick fasst die erarbeiteten **Kompetenzerwartungen** komprimiert zusammen und ordnet die jeweiligen prozessorientierten Kompetenzen zu.

Das Schülerbuch

Symbolerläuterung

Den Kapiteln sind Symbole zugeordnet, die Lernbereiche und Jahrgangsstufe kennzeichnen:

Kapitel	Themenbereich	Symbol Jg. 1	Symbol Jg. 2
1	Was weißt du schon über Kunst?		-
2/7	Erfahrungswelten		
3/8	Visuelle Medien		
4/9	Gestaltete Umwelt		
5/10	Fantasiewelten		
6/11	Bildende Kunst		

Die einzelnen Arbeitsaufträge sind mit Symbolen gekennzeichnet, die sich in den prozessorientierten Kompetenzen widerspiegeln. Sie fördern so gezielt den selbstständigen Umgang mit dem Lehrwerk. Grau abgesetzte Begriffe mit Lexikonsymbol  verweisen auf das Lexikon der Kunst (ab S. 100).

wahrnehmen 	Hier musst du genau hinschauen. Achte auf Kleinigkeiten!	Die Kinder werden bei diesem Symbol zu genauem Betrachten angeregt und sollen sich aktiv mit der Abbildung auseinandersetzen.
analysieren, deuten, werten 	Wir sprechen über die Ergebnisse.	Im gemeinsamen Gespräch reflektieren die Kinder den Arbeitsprozess und lernen, einen wertschätzenden Zugang zu ihren eigenen und fremden Kunstwerken aufzubauen.
imaginieren,verbalisieren 	Was fällt dir dazu ein? Erzähle!	Die Arbeitsaufträge sollen Denkanstöße zu weiterem Nachdenken geben und zu eigenen Gestaltungsideen führen.
kommunizieren 	Besprich dich mit anderen!	Durch den gemeinsamen Austausch erhalten die Kinder Anregungen für neue Projekte, reflektieren Arbeitsweisen und Techniken oder tauschen sich über Kunstwerke und Künstler aus.
gestalten 	Nun darfst du gestalten!	Die Kinder werden in grundlegende Techniken eingeführt und erweitern in der praktischen Umsetzung ihre künstlerische Ausdrucksmöglichkeit.
präsentieren 	Präsentiere dein Ergebnis!	Bei diesem Symbol werden die Kinder angeregt, über verschiedene Möglichkeiten der Präsentation von eigenen und fremden Kunstwerken nachzudenken und diese auf ihr Ergebnis anzuwenden.

Stoffverteilung

Was den Einsatz des Lehrwerkes „Kunst mit uns 1/2“ besonders einfach macht ist, dass alle Kapitel unabhängig voneinander einsetzbar sind. Die Kapitel sind also nicht zwingend chronologisch anzuwenden, sondern frei und fächerverbindend im Jahr einzusetzen.
Durch die freie Aufgabenstellung bleiben die Gestaltungstechniken prinzipiell offen, d.h. es kann sowohl gebunden mit einer vorgegebenen Gestaltungstechnik gearbeitet werden, als auch offen im Werkstattcharakter.
Die hier dargestellten Stoffverteilungspläne sind lediglich Vorschläge und müssen nicht in den angegebenen Zeiträumen umgesetzt werden.
Bei den vorgeschlagenen Künstlern handelt es sich um eine Auswahl, die frei ergänzt werden kann. Es ist darüber hinaus natürlich sinnvoll, so oft wie möglich einen Bezug zu örtlich vorhandenen Künstlern/Museen/Denkmälern oder Bauwerken herzustellen und die Werke im Original zu betrachten.

Das Symbol verweist auf zahlreiche Kopiervorlagen und verschiedene Beobachtungsbogen, die Sie auf der angefügten CD-ROM finden.

Prozessorientierte Kompetenzen:

wahrnehmen	analysieren, deuten, werten	imaginieren und verbalisieren	gestalten	präsentieren	kommunizieren

Stoffverteilung 1. Klasse (34 Stunden mit Projekt)

Zeit	Kapitel Lernbereich		Kompetenzerwartung	Mögliche Themen Gestaltungstechniken	Methoden	Mögliche Künstler
September (ca. 3 Stunden)	Was weißt du schon über Kunst?		• Kunstwerke wahrnehmen • über Kunst nachdenken • ästhetische Urteilsfähigkeit anbahnen • einfache gestalterische Verfahren kennenlernen und ausprobieren	• Willkommen in der Welt der Kunst • freies Experimentieren mit „Werkstatt"-Charakter • **drucken, zeichnen, malen, collagieren**	• „Skizzenbuch" • erste Methoden zur Bildbetrachtung • fachgerechter Umgang mit Werkmitteln und Arbeitsweisen • Werkstattunterricht	• in diesem Vorkapitel Werke von Künstlern betrachten, die entweder durch ihr Werk oder die Gestaltungstechnik einen großen Wiedererkennungswert haben, z. B. Franz Marc, Vincent van Gogh, Leonardo da Vinci, Pablo Picasso, Henri Matisse …
Oktober (ca. 4 Stunden)	Gestaltete Umwelt		• ordnen und beschreiben verschiedener Materialien aus der Umgebung im Hinblick auf bestimmte Eigenschaften • eigene Werke gestalten • präsentieren und reflektieren der Ergebnisse	• Naturwebrahmen, Figuren oder Legebilder aus Naturmaterial • Türme aus Steinen, Hölzern, Knete (QV: Sachunterricht) • Fundstück der Woche • Schachtelmuseum • **freies Experimentieren mit unterschiedlichem Material** • **Fühlplakate: Was ist rau, was glatt?** • **Legebilder: Was ist gleich, was ungleich?** • **Collagen aus Natur- oder Alltagsmaterialien**	• Präsentation z. B. in Objektkästen oder Vitrinen/Marmeladenglasvitrine • Fotodokumentation von vergänglichen Kunstwerken • ritualisierte Gesprächsführung anbahnen („Ich habe so gearbeitet, weil …", „Mir gefällt an deinem Ergebnis …", „Mein Tipp wäre …")	• Andy Goldsworthy • Tony Cragg • Ursus Wehrli

Stoffverteilung 1. Klasse (34 Stunden mit Projekt)

Zeit	Kapitel Lernbereich		Kompetenzerwartung	Mögliche Themen Gestaltungstechniken	Methoden	Mögliche Künstler
November (ca. 3 Stunden)	Bildende Kunst		• Vorstellungsvermögen durch Bildausschnitt anregen • über Bildeindrücke kommunizieren • Bildwirkung mit einfachen Begriffen beschreiben • eigene gestalterische Fantasie umsetzen • grundlegende Kenntnisse über den Künstler erfahren	• „Märchenhafter“ Einstieg in die Bildbetrachtung über das Stereotyp „König“ • „Wanted“: Gesucht wird …: Porträt nach Steckbriefart • „Was wäre, wenn …“ : Bildmotiv weiterentwickeln – auch im Hinblick auf Klees Lebensweg • klassische Bildbetrachtung mit Bezug auf Hell-Dunkel-Farbkontrast • skizzieren / malen • Zuckerkreide	• Einstieg über „Gucklochmethode“ • Sprechreihen zur Bildbetrachtung anbieten: „Ich sehe …“ = erster Eindruck; „Ich erkenne …“ = Details benennen; „Ich denke …“ = Interpretation	Paul Klee: „Der schwarze Fürst“
Dezember (ca. 3 Stunden)	Fantasiewelten		• Vorstellungen und innere Bilder für eigene Gestaltung entwickeln • gemeinsames Austauschen von Bildideen • Ergebnisse gemeinsam präsentieren • Vorgehensweisen erklären • Arbeiten vergleichen	• Abenteuerland • Traumwelt • Schlaraffenland • Zauberwelt • Gemeinschaftsarbeit: aus einzelnen Bildelementen eine Gesamtkomposition entwickeln • großformatiges Arbeiten mit bereits eingeführten Techniken	• Gruppenarbeit	• Friedensreich Hundertwasser • Pieter Bruegel der Ältere • James Rizzi

Stoffverteilung 1. Klasse (34 Stunden mit Projekt)

Zeit	Kapitel Lernbereich	Kompetenzerwartung	Mögliche Themen / Gestaltungstechniken	Methoden	Mögliche Künstler
Januar (ca. 3 Stunden)	Visuelle Medien	• alltägliche Gegenstände durch den Sucher einer Kamera wahrnehmen • Grundfunktionen einer Fotokamera nutzen	• Gesichter in Gegenständen finden • Fotorätsel • Fotosafari: alles das Gleiche und doch so verschieden • **fotografieren** • **collagieren**	• Kamerabedienung • Einführung: „Storyboard“	• François und Jean Robert • Jan Henderikse • Ursus Wehrli
Februar (ca. 3 Stunden)	Fantasiewelten	• zentrale Schlüsselstelle eines Märchens auf einen Bildinhalt komprimieren • gemeinsam auf ein zentrales Märchenmotiv einigen und gestalterisch umsetzen	• Märchen: szenisch oder bildnerisch darstellen • Schlüsselszenen dreidimensional umsetzen	• Spielszenen entwickeln	• David Hockney • Ludwig Emil Grimm • Otto Ubbelohde

Stoffverteilung 1. Klasse (34 Stunden mit Projekt)

Zeit	Kapitel Lernbereich	Kompetenzerwartung	Mögliche Themen	Methoden	Mögliche Künstler
März (ca. 3 Stunden)	Erfahrungs-welten	• Tiere bewusst wahrnehmen und beschreiben als Grundlage für das eigene Gestalten • alters- und entwicklungsgemäße Bildschemata von Tieren differenzieren und wiedergeben	• „Daran hab ich es erkannt!“ – Merkmale von Tieren herausarbeiten • Tiere in der Kunst • Mein Lieblingstier **Gestaltungstechniken:** • **zeichnen, malen, drucken, fotografieren** • **dreidimensional umsetzen**	• Tierdarstellung reduzieren auf grundlegende Schemata, z. B. durch Einlinienzeichnung	• Franz Marc • Otmar Alt • Jeff Koons • Pablo Picasso • David Hockney • Victor Vasarely • Rosina Wachtmeister • Albrecht Dürer
April (ca. 3 Stunden)	Erfahrungs-welten	• Details intensiv betrachten und beschreiben • Form- und Farbeigenschaften benennen • Grundfarben kennenlernen und Grundkenntnisse der Farbmischung erwerben	• Dürers „Rasenstück“ – ein Vergleich mit der echten Wiese • die Natur bietet mehr als nur ein Grün • im Farblabor	• Skizze als Entwurf einführen • Werkstattarbeit zu Farben	• Albrecht Dürer • Claude Monet • Henri Rousseau

Stoffverteilung 1. Klasse (34 Stunden mit Projekt)

Zeit	Kapitel Lernbereich	Kompetenzerwartung	Mögliche Themen	Methoden	Mögliche Künstler
			Gestaltungstechniken		
Mai (ca. 3 Stunden)	Bildende Kunst	• Farbwirkungen wahrnehmen und unterscheiden • erkennen, dass sich die Bildwirkung verändert, wenn das zentrale Motiv unterschiedlich angeordnet ist • einen ersten Eindruck über den Künstler Edvard Munch und seinen Malstil erhalten	• Bildbetrachtung der Mädchen auf der Brücke • ein Motiv – unterschiedliche Wirkung • Unsere „Brückengeschichte" • szenisch umsetzen • fotografieren	• Standbild	• Edvard Munch
Juni (ca. 3 Stunden)	Visuelle Medien	• durch die Weiterverarbeitung von Fotografien neue Gestaltungsmöglichkeiten entwickeln	• lustige Ideen mit dem Foto gezaubert (z.B. Kinngesichter) • einer tanzt aus der Reihe (ungewöhnliche Anordnung: viele rote Stifte, ein blauer)	• Fotocollage • Weiterverarbeitungsmöglichkeiten am PC	• Jan Henderikse
Juli (ca. 3 Stunden)	Optional freie Verwendung	Freiraum für eigene Projekte, Vertiefung eines Lernbereichs oder einer Technik, Reflexion im Skizzenbuch (z.B. „Diese Technik hat mir besonders gut gefallen."; „Über diesen Künstler möchte ich noch mehr erfahren."; „Das Bild ..."; „Im Kunstunterricht in diesem Jahr ...")			

Stoffverteilung 2. Klasse (34 Stunden ohne Projekt)

Zeit	Kapitel Lernbereich	Kompetenzerwartung	Mögliche Themen / Gestaltungstechniken	Methoden	Mögliche Künstler
September (ca. 3 Stunden) Oktober (ca. 4 Stunden)	Erfahrungs-welten	• auf markante Merkmale eines Gesichts (Schemata) aufmerksam werden • Unterschiede von Frontalaufnahme zur Profilaufnahme herausarbeiten • erkennen, dass der technische Fortschritt die Einstellung der Künstler gegenüber der „Porträtmalerei“ verändert hat.	• Familienerinnerungen • Gesichter auf der ganzen Welt – Gemeinsamkeiten und Unterschiede • ein Gesicht nach Maß • was der Fotoapparat beim Porträtmalen nicht kann • Mein Porträt von … • **zeichnen, malen, (Foto-) Collage, Maskengestaltung, Scherenschnitt**	• skizzieren • Blindporträts • Blitzporträts	• Antonio Saura • Pablo Picasso • Giuseppe Arcimboldo • Chuck Close • Alexej von Jawlensky • Keith Haring • Alexander Calder • Saul Steinberg • Inge Morath
November (ca. 3 Stunden)	Bildende Kunst	• aus abstrakten Bildelementen inhaltliche Informationen entnehmen • über Stimmung, Wirkung und Darstellungsabsicht im Bildwerk argumentieren • durch gegenstandslose Umsetzung eigener Gefühle Zugang zum abstrakten Gestalten bekommen • grundlegende Kenntnisse über den Künstler erfahren	• „Ich sehe was, was du nicht siehst … (in abstrakten Bildern Verschiedenes erkennen oder Gleiches; warum?) • Farben und Formen können mehr als schön sein (Farben und Formen als Ausdruck von Gefühlen) • klassische Bildbetrachtung mit Bezug auf Farbwirkung • **„Aleatorische Verfahren“** • **verpusten, schütteln, malen, collagieren**	• Partnerarbeit • Werkstattunterricht	• Franz Marc: „Kämpfende Formen“

Stoffverteilung 2. Klasse (34 Stunden ohne Projekt)

Zeit	Kapitel Lernbereich	Kompetenzerwartung	Mögliche Themen	Methoden	Mögliche Künstler
			Gestaltungstechniken		
Dezember (ca. 3 Stunden)	Fantasiewelten	• optische und akustische Eindrücke in gegenstandslose Bilder umsetzen	• Memory („Welches Bild passt zu welcher Musik?") • malen zu Musik • **freies farbiges und grafisches Gestalten**	• begründetes Reflektieren	• Joan Miró • Wassily Kandinsky • Jackson Pollock
Januar (ca. 3 Stunden) Februar (ca. 3 Stunden)	Fantasiewelten	• unterschiedliche Stimmungen in Kunstwerken beschreiben • eigene gestalterische Ideen in darstellendes Spiel umsetzen	• wie Bilder wirken können • Bilder erzählen Geschichten • Unsere Geschichte zum Bild • **szenisch darstellen (Schatten-, Puppenspiel)**	• Spielszenen entwickeln • Beurteilungsgespräche nach vereinbarten Kriterien initiieren	• Ernst Ludwig Kirchner • Hans Langer • Joan Miró • Marc Chagall

Stoffverteilung 2. Klasse (34 Stunden ohne Projekt)

Zeit	Kapitel Lernbereich	Kompetenzerwartung	Mögliche Themen	Methoden	Mögliche Künstler
			Gestaltungstechniken		
März (ca. 3 Stunden)	Visuelle Medien	• eine gegebene Situation erfassen und fotografisch dokumentieren • verschiedene Umsetzungsmöglichkeiten der Weiterarbeit mit Fotos kennenlernen	• „Das gestreifte Bild“ – aus zwei mach eins • Fotos verändern: übermalen, ergänzen, zerschneiden, neu kombinieren • „Achtung jetzt kommt ein Karton!“ • **Fotocollage** • **Bildbearbeitung am PC/Tablet** • **malen, zeichnen**	• multimedialer Einsatz von Digitalkamera, PC, Tablet	• Jan von Holleben • Javier Pérez
April (ca. 3 Stunden)	Gestaltete Umwelt	• Mitteilungscharakter von Kunst erkennen • Bearbeitungs- und Verbindungsmöglichkeiten verschiedener Materialien erproben • sachgerechte Handhabung verschiedener Werkzeuge • Materialauswahl reflektieren	• zu schade für den Abfalleimer – Kunst aus Müll (z. B. PET-Pokale, Tütenkleidung, Waschmittel-LKWs, Dosenritter, PET-Tintenfische …) • dreidimensionales Gestalten • Assemblage • umformen, verfremden	• Gruppenarbeit • Werkstattunterricht	• Tony Cragg • H. A. Schult • Friedensreich Hundertwasser • Katell Gélébart • Veronika Richterová • Künstlergruppe Skeleton Sea • Anna-Wili Highfield • Florentijn Hofman
Mai (ca. 3 Stunden)					

Stoffverteilung 2. Klasse (34 Stunden ohne Projekt)

Zeit	Kapitel Lernbereich	Kompetenzerwartung	Mögliche Themen	Methoden	Mögliche Künstler
			Gestaltungstechniken		
Juni (ca. 3 Stunden)	Bildende Kunst	• Skulpturen als einen Teil der Kunst wahrnehmen • dynamische und statische Elemente in Figuren gestalterisch umsetzen • grundlegende Kenntnisse über den Künstler erfahren	• Skulpturen gehören auch zur Kunst • beweglich oder starr? • Meine eigene Skulptur • **dreidimensionales Gestalten**	• Partnerarbeit • skizzieren • nach Modellen arbeiten	• Alberto Giacometti
Juli (ca. 3 Stunden)	Optional freie Verwendung	Freiraum für eigene Projekte, Vertiefung eines Lernbereichs oder einer Technik, Reflexion im Skizzenbuch (z. B. „Diese Technik hat mir besonders gut gefallen …“; „Über diesen Künstler möchte ich noch mehr erfahren …“; „Das Bild …“; „Im Kunstunterricht in diesem Jahr …“)			

Beobachtungsbogen zu den Kompetenzerwartungen der Gegenstandsbereiche (Musterbeispiel)

s. -Materialien

Wichtig ist die Transparenz der Kriterien. Es kann nur bewertet werden, was zuvor auch besprochen wurde. Da die Beobachtungsbögen frei veränderbar sind, können sie individuell auf das Thema und die Klasse abgestimmt werden.

Klasse: ______________ **Schuljahr:** ______________ **Lehrkraft:** ______________

Thema: Mein Lieblingstier		Schüler / Schülerin		
	Kompetenzerwartung	Max Muster	Tessa Test	Bea Beispiel
Erfahrungswelten	kann Tiere oder Objekte im Hinblick auf die jeweiligen Unterschiede beschreiben	grün	gelb	gelb
	verwendet Fachbegriffe richtig	gelb	grün	gelb
	nutzt gewonnene Erkenntnisse für die Umsetzung	grün	rot	grün
	setzt Aufgabenstellung kreativ/originell um, entwickelt eigene Ideen	grün	grün	gelb
	gibt Tiere und Objekte in differenzierten Schemata wieder	gelb	grün	grün
	gestaltet sorgfältig	grün	grün	grün
	wendet eingeführte Gestaltungstechniken richtig an	grün	rot	grün

je nach erreichter Kompetenz eintragen

+ Kompetenz vollständig erreicht (oder Feld grün anmalen)
o Kompetenz teilweise erreicht (oder Feld gelb anmalen)
- Kompetenz noch wenig erreicht (oder Feld rot anmalen)

Beobachtungsbogen für Lernentwicklungsgespräche (Musterbeispiel)

s. -Materialien

Hier muss je nach Jahrgangsstufe ausgewählt werden, was zutrifft.

Klasse: ____________ **Schuljahr:** ____________ **Lehrkraft:** ____________

Beobachtungsbogen für Lernentwicklungsgespräche		Schüler/Schülerin		
	Ich kann …	Max Muster	Tessa Test	Bea Beispiel
lernbereichsübergreifende Kompetenzen	Material eigenständig beschaffen und Arbeitsabläufe selbst organisieren			
	eingeführte Gestaltungstechniken richtig anwenden			
	künstlerische Gestaltungstechniken so einsetzen, dass sie eine bestimmte Wirkung erzielen			
	eigene Ideen entwickeln und Aufgabenstellungen kreativ und originell umsetzen			
	künstlerische Fachbegriffe richtig verwenden			
	meine Arbeitsprozesse dokumentieren und Produkte präsentieren			
	eigene Entscheidung für den Einsatz bestimmter Materialien und Verfahren begründen			
	Ergebnisse anderer Kinder gut beschreiben			
	ein wertschätzendes Urteil zu anderen Arbeiten abgeben			

Nur eine Stunde Kunst – wie soll ich das schaffen? Hilfen zur schnellen und einfachen Organisation

Das Material

Um einen möglichst kreativen und selbstbestimmten Kunstunterricht zu gestalten, ist es wichtig, ein vielfältiges Arbeitsmaterial anzubieten. Neben der „Kunstkiste", in der die eigene Grundausstattung aufbewahrt wird, sollten den Kindern verschiedene zusätzliche Materialien angeboten werden. Neben Papieren oder Kartons in unterschiedlichen Farben, Arten und Größen sind auch verschiedene Farbmittel (Schulmalfarbe oder Temperafarbe, Kreiden, Stifte …) bereitzustellen. Sinnvoll ist auch eine Auswahl an Werkzeugen (Hammer, Draht, Zange, Heißklebepistole …) und Materialien (Bänder, Stoff, Styropor, Holz …). Zur Aufbewahrung eignen sich die Themenboxen.

Die Themenboxen

Bewahren Sie das Unterrichtsmaterial in beschrifteten Kartons oder durchsichtigen Boxen auf. Auch thematisch geordnete Kisten erleichtern die Unterrichtsorganisation.

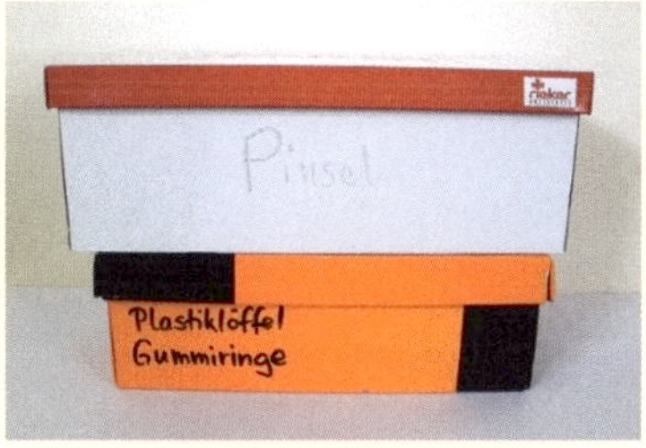

Themenkiste „Drucken"

Themenkiste „Abklatschtechnik"

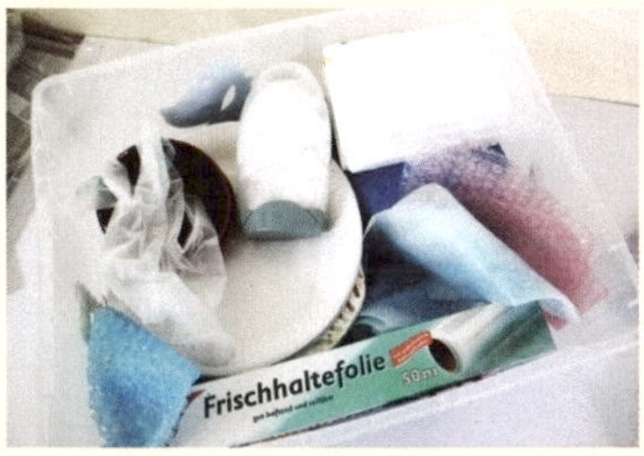

Die Werkstatt

Die Arbeit mit Werkstattcharakter gibt den Kindern Spielraum, mit verschiedenen Materialien zu experimentieren; sie fördert die Kreativität und das eigenverantwortliche Lernen. Hierbei ist es wichtig, die Kinder darin zu unterstützen, künstlerische Vorhaben und besprochene Zielvorgaben im Auge zu behalten. Unverzichtbar ist, den Kindern ein breites Angebot an Material (siehe oben) zur Verfügung zu stellen. Dies kann im besten Fall als feste „Kunstwerkstatt" oder „Werkstattecke" in einem Regal im Klassenraum oder – wenn vorhanden – im Gruppenraum angeboten werden. Es ist aber auch möglich, dies über die Themenboxen zu organisieren und das Material auf Nachfrage gezielt bereitzustellen.

Das Skizzenbuch

Wohin mit den Ergebnissen aus der Exploration? Meistens landen sie im Papierkorb. Zu Schade eigentlich, deshalb haben wir an ein Skizzenbuch für den Kunstunterricht gedacht (siehe KV 6). Das Skizzenbuch ist ein unliniertes DIN-A4-Heft, in dem die Kinder alle Skizzen, Ideen oder erste Versuche zu verschiedenen Gestaltungstechniken sammeln. Es kann natürlich ebenso gut eine Mappe oder ein selbst gestaltetes Ringbuch verwendet werden.

Organisationshilfen

Die Kunstkiste

Material, das die Kinder regelmäßig benötigen, wird in der Kunstkiste aufgehoben. Mittlere Schuhkartons reichen oft aus.
Grundausstattung der Kunstkiste ist: Malkasten und Wasserbehälter, Wischlappen und Pinsel. Zusätzlich denkbar sind: Malkittel oder altes T-Shirt, Schwämmchen, Wachsmalkreide, Filzstifte, Schere, alte Zahnbürste, Trockentuch.
Statt der üblichen kleinen Tuben Deckweiß ist es sinnvoll, eine große Flasche weiße Temperafarbe (Schulmalfarbe) zu besorgen und bei Bedarf auszugeben.
Achtung: Die Eltern sollten bei der Anschaffung der Farbkästen auf Qualität achten. Billigprodukte bieten oft nicht die gewünschte Farbintensität.

Das Zeichenpapier

Das Zeichenpapier am besten in verschiedenen Größen lose aufbewahren. Das heißt, die Zeichenblöcke werden zu Beginn des Jahres „ausgeleert" und danach so gelagert. Der Vorteil ist, jedes Kind erhält Papier vom Stapel, das erspart Zeit und Risse im Papier. Die Pappe der leeren Blöcke kann als Unterlage oder für verschiedene Gestaltungstechniken (als Druckstock, Schablonen ...) verwendet werden. Die Menge des Papiers sollte für zwei Jahrgänge reichen.

Der Ordnungsrahmen

Zeitung zum Abdecken bei „normaler" Malarbeit ist immer noch am günstigsten. Bewahren Sie das Zeitungspapier als Sortierhilfe in einer leeren Kiste (z. B. Obstkiste) auf. Für großflächiges Arbeiten gibt es Wachstuch zum Abdecken günstig im Baumarkt. „Einweg-Menüteller" (erhältlich in Ein-Euro-Läden) eignen sich hervorragend als Palette.

Wasser erst kurz vor Arbeitsbeginn mit Gießkannen austeilen oder gruppenweise holen lassen. Achten Sie darauf, dass die Wasserbecher nur halb gefüllt sind!
Am Waschbecken sind immer nur maximal drei Kinder.
Einen Trockenplatz im Klassenzimmer festlegen (hier an der Leine unter der Tafel).
Bei Aktionen mit viel „Matscherei" auf warmes Wasser zum Reinigen achten.

Organisationshilfen

Die Organisation	Bestimmen Sie für etwa vier bis sechs Kinder je einen Kisten- und einen Zeitungsdienst. Der Kunstdienst deckt Tische ab, verteilt Unterlagen, teilt Kisten oder angefangene Arbeiten und Wasser aus. Legen Sie Kunststunden am besten vor oder nach der Pause. Der Kunstdienst kann dann einen Teil der Pause nutzen, um das Material bereitzustellen oder aufzuräumen. Halten Sie Kunststunden wenn möglich 14-tägig ab und dafür als Doppelstunde. Fächerverbindende Themen schaffen einen Zeitpuffer.
Kopiervorlagen/ Materialien	„Ein Bild sagt mehr als tausend Worte" – zahlreiche Material-, Methoden-, Reflexions-, Organisations- und Wortkarten sowie Arbeitsblätter und eine interaktiv gestaltete Lernlandkarte finden Sie auf der angefügten CD-ROM.
Die Lernlandkarte	Über eine interaktive Lernlandkarte wird den Kindern die Möglichkeit zur Selbsteinschätzung gegeben. Die Lernlandkarte ist flexibel einsetzbar bezogen auf Techniken, Inhalte, Fachbegriffe und alles, was Kinder im Kunstunterricht darüber hinaus noch lernen sollen. In die freien Felder werden die gewünschten Lernziele geschrieben. Die Kinder markieren, wie oben angegeben. Ein roter Rahmen bedeutet: „Das kann ich noch nicht so gut." Wenn sich das Kind schon etwas auskennt, darf es das Feld gelb schraffieren, grün ausgemalt heißt: „Das kann ich prima." Je nach Lernfortschritt werden die Felder von den Kinder sukzessive ausgefüllt oder gegebenenfalls übermalt.

Gestaltungstechniken im Überblick

Grafische Techniken

Grafik	zweidimensionale „nicht-malerische" Darstellung, beinhaltet auch die Bereiche Druckgrafik, Mosaik und Schrift.
Zeichnung	überlegtes Anordnen von Spuren und Umrisslinien auf einem Untergrund; die Linien werden ggf. durch Schraffuren ergänzt, um eine räumliche Wirkung zu erzielen (Binnenstruktur).
Schraffur	dünne Linien, die schräg zur Hauptlinie gezogen werden, um verschiedene Tonwerte herzustellen, je dichter die Linie, desto dunkler erscheint die Fläche.
Skizze	einfache, schnelle Zeichnung oder grober Entwurf, der die grundsätzliche Anordnung des Motivs festlegen soll.
Studie	zeichnerische Auseinandersetzung mit Einzelheiten und Details, eines Gesamtmotivs; dient der möglichst realistischen Darstellung.
Sgraffito	Der Begriff ist vom italienischen „sgraffitare" (= kratzen) abgeleitet. In seiner ursprünglichen Bedeutung ist es eine in einer Wand eingekratzte Inschrift. Als künstlerische Gestaltungstechnik wird ein Papier mit mehreren übereinandergelegten Schichten Wachsmalkreide bemalt. Das eigentliche Motiv wird danach mit einem spitzen Gegenstand in den so vorbereiteten Untergrund eingeritzt und erscheint als Linie.
Graffiti	meist mit Farbspray aufgesprühte oder gemalte Motive (Bilder, Schriftzüge, Zeichen), die häufig an öffentlich zugänglichen Räumen zu finden sind.
Wachsradierung	Ähnlich wie beim Sgraffito wird zunächst ein Untergrundpapier aus mehreren Schichten Wachsmalkreide hergestellt. Dieses wird mit einer Schicht Tusche, Plakat- oder Acrylfarbe übermalt. Das Motiv wird mit einem spitzen Gegenstand in den so vorbereiteten Untergrund eingeritzt und erscheint als Linie.
Grattage	Der deutsche Künstler Max Ernst entwickelte diese Technik. Ein Untergrund (z. B. Papier, Leinwand …) wird mit mehreren verschiedenen Farbschichten bemalt und über einen Stoff oder eine andere strukturierte Oberfläche gelegt. Danach wird die Farbe mit einem Schaber, einem Messer oder ähnlichem Werkzeug so abgekratzt, dass die unteren Schichten als Muster sichtbar werden.

Gestaltungstechniken im Überblick

Druckverfahren

Hochdruck	Aus einer Fläche (z. B. Linolplatte, Holz) werden Formen herausgeschnitten; nur die oben liegenden (hohen) Flächen sind im abgedruckten Bild sichtbar. Achtung: Die Motive drucken spiegelverkehrt ab.
Polystyroldruck oder Weißlinendruck	In eine Polystyrolplatte (dünne, glatte Styroporplatte, im Kunstfachhandel erhältlich) oder auf die Rückseite von Milch-, bzw. Safttüten mit einem „stumpfspitzen" Gegenstand (Stricknadel, Kugelschreiber) ein Motiv eindrücken, den so entstandenen Druckstock mit Linoldruckfarbe einwalzen und auf Papier abdrucken. Der Abdruck zeigt sich als weiße Linie. Man kann ähnliche Ergebnisse erzielen wie beim Linolschnitt. Da er für Kinderhände weniger gefährlich ist, lässt er sich deshalb gut in der Grundschule einsetzen.
Stempeldruck	Aus verschiedenen Materialien (wie Kork, Plastik, Radiergummi, Moosgummi, Pappe ...) werden Stempel mit einfachen Motiven hergestellt; Stempel mit Farbe bestreichen und abdrucken.
Schnurdruck	Eine Kordel oder Schnur wird auf ein Stück Karton geklebt oder alternativ um den Karton gewickelt; den so entstandenen Druckstock mit Farbe bestreichen und abdrucken.
Karton- oder Pappdruck	Aus Karton oder Pappe wird ein Motiv ausgeschnitten; diese Schablone wird mit Farbe bestrichen und komplett auf Papier abgedruckt.
Pappkantendruck	Als Druckstock Streifen aus dickerer Pappe in der gewünschten Länge schneiden; diesmal nur die Kanten der Pappe mit Farbe bestreichen und abdrucken.
Monotypie	Auf eine Glasplatte oder Folie wird Farbe aufgetragen (am besten Linoldruckfarbe mit einer Walze); nun ein Papier auf die so vorbereitete Platte legen, das gewünschte Motiv auf das Papier zeichnen. Anschließend das Papier abziehen. Das Motiv erscheint spiegelverkehrt als farbige Linie.
Décalcomanie oder Abklatschtechnik	Auf eine Glasplatte oder Folie (z. B. Kopierfolie) dünnflüssige Farbe auftragen (z. B. Wasserfarbe oder Aquarellfarbe); ein anderes Papier auf die so vorbereitete Platte legen, ggf. kurz andrücken und danach abziehen.
Spritzdruck	Flüssige Farbe (z. B. Wasserfarbe) wird mit einer Zahnbürste durch ein Sieb gestrichen. Die Farbe hinterlässt feine Tröpfchen auf dem Papier. Wichtig: auf ein richtiges Verhältnis von Farb- und Wasseranteil achten. Alternativ zum Sieb kann man auch direkt mit Zahnbürste und Daumen arbeiten.
Schwammdruck	Plakat-, Wasser- oder Acrylfarbe mit einem Schwamm durch Tupfen direkt auf das Papier auftragen. Eignet sich auch gut für Hintergrundgestaltung.
Frottage	Dies ist eine Abriebtechnik, mit der Oberflächenstrukturen von Gegenständen auf das Papier übertragen werden. Das Papier wird auf die gewünschte Oberfläche gelegt, mit einem weichen Stift (z. B. Bleistift, Buntstift, Wachsmalkreide) wird sie durchgerieben.

Gestaltungstechniken im Überblick

Malerische Techniken	**Aquarell**	Abgeleitet vom lateinischen Begriff „aqua" (= Wasser) wird beim Aquarell auf saugfähigem Papier meist mit viel Wasser gearbeitet. Die Aquarellfarben werden mit Wasser verdünnt und je nach gewünschtem Effekt auf trockenem oder nassem Untergrund aufgetragen. Häufig wird die Farbe lasierend aufgetragen, d. h. der Maluntergrund scheint oft durch. Weiß entsteht nur dort, wo der Papiergrund ausgespart wird.
	Nass in Nass	Bei dieser Technik wird auf einem bereits feuchten Untergrund gearbeitet. Besonders in der Aquarellmalerei wird die „Nass in Nass"-Technik häufig angewandt.
	Dotpainting	Die Technik ist besonders durch die Kunst der australischen Aborigines bekannt. Kleine Farbtupfen werden mit einem dünnen Gegenstand (z. B. Holz-, Wattestäbchen) nebeneinander auf das Papier gesetzt, bis das gewünschte Motiv fertig ist. Auch Künstler der Stilrichtung Pointillismus arbeiteten mit Farbpunkten. Das gesamte Motiv wird dabei aus kleinen regelmäßigen Punkten in reinen Farben zusammengesetzt. Die verschiedenen Mischfarben ergeben sich erst durch additive Farbmischung im Auge des Betrachters.
	Lightpainting oder Lomografie	Dies ist eine fotografische Technik, bei der Lichtspuren mit Hilfe der Langzeitbelichtung einer Kamera sichtbar gemacht werden.

Zufallsverfahren	**Aleatorische Verfahren**	Abgeleitet vom lateinischen Wort „alea" (= Würfel), sind damit Zufallsverfahren gemeint. Das Ergebnis dieser Verfahrensweise ist häufig nicht im Voraus planbar und ergibt sich meist aus der künstlerischen Aktion selbst.
	Action Painting oder Drip Painting	Dies ist eine in den 1950er Jahren entstandene Kunstrichtung, die aus dem amerikanischen Expressionismus entstanden ist. Ein Hauptvertreter war Jackson Pollock, der in seinen Werken die Farbe direkt auf den Bildträger spritze, tropfte oder aus verschiedenen Behältern schüttete.
	Brullage	Abgeleitet vom französischen „brûlage" (= ansengen, abbrennen oder verbrennen): Ein Motiv wird mit einer offenen Flamme oder einer Wunderkerze auf ein Papier gezeichnet.

Gestaltungstechniken im Überblick

Szenisches Gestalten

Schattenspiel	Die Spielform hat ihren Ursprung vermutlich in China. Charakteristisch für diese Spielform ist, dass hinter einem Tuch gespielt wird, das von der Rückseite her beleuchtet wird. Beim Schattenspiel unterscheidet man verschiedene Arten wie das Menschen-, Hand- oder Figurenschattenspiel.
Menschenschattenspiel	Bei dieser Art steht der Mensch selbst als Person im Mittelpunkt. Er agiert hinter der Schattenwand; farbige Scheinwerfer und beliebige Requisiten unterstützen das Spiel.
Handschattenspiel	Hinter der Schattenwand werden mit den Händen Tiere, Objekte oder Szenen nachgestellt. Eine Variante ist das Vermischen von Hand- und Figurenschattenspiel, indem man einfache Requisiten, z. B. Fingerpuppen, auf die Hand montiert.
Figurenschattenspiel	Hier tritt eine Figur in den Fokus des Geschehens. Der Schauspieler selbst tritt zurück, er bleibt versteckt und agiert mit der Puppe. Das bedeutet für die Bühne, dass sie in der unteren Hälfte abgedeckt werden sollte, damit der Schauspieler genügend Spielfläche hat, ohne vom Publikum gesehen zu werden.
Puppenspiel oder Figurentheater	Die Schauspieler agieren mit ihren Puppen vor den Zuschauern. Die Figuren können dabei von ganz unterschiedlicher Art sein, z. B. Fingerpuppen, Handpuppen, Stabpuppen oder Marionetten.
Rollenspiel	Die Darsteller übernehmen bei dieser Spielart die Rolle eines anderen Menschen, einer fiktiven Figur, eines Tiere oder eines Gegenstandes. Beim freien Rollenspiel agieren die Darsteller spontan, z. B. mit dem Vater-Mutter-Kind-Spiel. Das reglementierte Rollenspiel folgt einer Spielanweisung oder einem Art Drehbuch.
Pantomime	Dies ist eine Form der Darstellung, bei der eine gewünschte Szene nur durch Mimik und Gestik des Schauspielers dargestellt wird.
Standbild	Dies ist eine Art der pantomimischen Darstellung, bei der eine gewählte Szene, z. B. ein Motiv aus einem Bild, durch die darstellenden Personen „eingefroren" wird. Durch die erstarrten Figuren kann beispielsweise eine gewählte Szene oder eine Beziehungen zwischen den dargestellten Personen verdeutlicht werden.

Methodenschatz zur Bildbetrachtung

Stück für Stück	Das Kunstwerk wird sukzessive in Ausschnitten gezeigt (wie beim Spiel „Dalli-Klick"), bis es am Ende ganz zu sehen ist. Diese Methode kann sehr einfach in einer Powerpoint- oder Keynote-Präsentation vorbereitet werden und über einen Beamer oder ein Smartboard im Klassenraum präsentiert werden.
Guckloch	Das Kunstwerk ist mit einem Blatt verdeckt, in dem ein kleiner Teil (das Guckloch) ausgeschnitten ist. Durch das Verschieben des Gucklochs wird nun das gesamte Bild erforscht. Achtung: Das Abdeckblatt muss so groß gewählt werden, dass das Bild darunter beim Verschieben nicht zum Vorschein kommt. Tipp: Bei vielen Smartboards gibt es eine Lupenfunktion, mit der dieser Effekt erzielt werden kann.
Lupe	Mit einer Lupe geht man auf Detailsuche. (Kinderlupen kann man günstig bestellen.)
Fernglas	Die Kinder betrachten das Kunstwerk entweder durch ein echtes Fernglas oder eine Papprolle. Diese Methode fokussiert den Betrachter und lässt sich gut für Detailstudien oder Spiele wie „Ich sehe was, was du nicht siehst …" anwenden.
Von verschwommen zu scharf	Das Bild wird den Kindern zunächst verschwommen gezeigt und erst allmählich „scharf" gestellt. Das lenkt den Blick zunächst auf Farben oder kompositorische Besonderheiten – bevor Einzelheiten erkennbar sind.
Ich sehe was, was …	Das Kunstwerk mit „Ich sehe was, was du nicht siehst und das ist …" erforschen. Da das Spiel den meisten Kindern bekannt ist, sind sie gleich motiviert bei der Sache.
Echt oder gefälscht	Die Kinder erhalten jeweils ein „Original"-Kunstwerk und eine „Fälschung" mit einigen Fehlern (am Computer mit Photoshop selbst herstellen, siehe auch das Buch „Echt gefälscht!" von Doris Kutschbach, Prestel Verlag). Nun sollen sie die Fehler des Kunstfälschers „entlarven". Über den Vergleich der Bilder findet ein intensiver Austausch über das Kunstwerk statt.
Ausschnittsuche	Die Methode eignet sich vor allem, wenn mehrere Kunstwerke besprochen werden. Die Kinder erhalten einen kleinen Bildausschnitt und sollen das passende Kunstwerk dazu im Klassenzimmer finden.
Puzzle	Die Kinder erhalten ein Kunstwerk in Puzzleform (z. B. eine Kunstpostkarte, ein Farbdruck in Postkartengröße …) Beim richtigen Zusammensetzen wird die genaue Wahrnehmung geschult und in der Gruppe regt das Puzzle gleich zum Gespräch über das Bild an.
Perspektivwechsel	Die Kunstwerke werden an ungewöhnlichen Stellen präsentiert, z. B. unter die Tischplatte geklebt. Oder die Kinder betrachten das Werk aus einer neuen Perspektive (durch die Beine, im Liegen, falsch herum …).

Methodenschatz zur Bildbetrachtung

Kunstwerkcomic oder sprechende Kunstwerke	Kunstwerke werden lebendig; sie erzählen etwas. Beim Kunstwerkcomic lassen die Kinder die Figuren oder zentrale Motive im Bild sprechen. Möglich ist, dass nun szenisch gespielt wird. Es können aber auch Sprechblasen mit kurzen Texten direkt in das Kunstwerk eingefügt werden.
Lebende Kunstwerke	Die Kinder stellen eine Szene, ein Motiv aus dem Kunstwerk als Standbild nach („einfrieren") und fotografieren die Szenerie. Damit möglichst alle Kinder zeitgleich beschäftigt sind, bekommen sie verschiedene Aufgaben: Die „Schauspieler" stellen die Szene nach. Der Regisseur hat das Originalkunstwerk oder die Idee im Blick und gibt Regieanweisungen. Der Requisiteur stellt oder „biegt" die Darsteller zurecht und sorgt für die nötigen Requisiten, Hintergründe ... Der Techniker macht das Foto.
Bilddiktat	Das Kunstwerk wird den Kindern nicht gezeigt, sondern nur beschrieben. Zeitgleich gestalten die Kinder dazu ihr Bild. Das Bilddiktat ist auch als Partner- oder Gruppenarbeit gut umzusetzen. Spannend ist die gemeinsame Besprechung der Ergebnisse, die mit dem Original verglichen werden können.
Sinnesreise	Motive aus dem Kunstwerk werden mit allen Sinnen erfasst (z. B. „Was fühlst du, riechst du, hörst du?"; „Wie schmeckt dein Bild?").
Bilder im Ohr	Ein Kunstwerk erzählt seine Geschichte (z. B. die kleine Tänzerin von Degas) als eine Art Hörspiel. Beispiele dafür gibt es in der Buchreihe „Bilder im Ohr" vom Prestel Verlag oder unter www.kiraka.de, Stichwort „Bilder im Ohr".
Kunstkritikerstreit	Zwei „Kunstkritiker" streiten darüber, ob das Kunstwerk seinen Platz im Museum verdient hat oder nicht. Was spricht für oder gegen das Kunstwerk – hier kann ganz frei argumentiert werden. Die ganze Klasse ist „Jury" und entscheidet, ob sie das Bild in das Museum aufnehmen oder nicht.
Bilder und Geschichten	Die Kinder schreiben eine eigene Geschichte zu einem beliebigen Kunstwerk („Was erzählt dir dieses Kunstwerk?") – entweder als Einstieg in eine gewählte Thematik (z. B. Epoche, spezielle Künstler) oder als Abschluss bzw. Vertiefung.
Kunstreporter	Kinder berichten wie Reporter über den neuesten „Kunstskandal", die neueste „Sensation", den besten „Künstler" und beschreiben so das Kunstwerk.
Kunstinterview	Die Kinder führen entweder mit dem Künstler ein Interview oder befragen Personen aus dem Kunstwerk.

Komm mit! – Wie arbeite ich mit dem Buch?

Kommentar zu den Seiten 7 – 8

Material
- Schülerbuch
- Koffer oder Kiste mit Utensilien
- verschiedene Werkmittel für den Kunstunterricht

Unterrichtsplanung

Einstieg

Präsentation über die „Buch im Koffer-Methode“:
In einem Koffer oder einer Kiste befinden sich Utensilien für den Kunstunterricht, z. B. Stifte, Kreiden, Knete, Fotokamera und das Schülerbuch.
Die Kinder sitzen im Kreis um den „Kunstkoffer“ herum.

Unterrichtsablauf

Material
- KV 1, 2
- KV 3–5

L: Ich möchte dich auf eine besondere Reise mitnehmen. Den Koffer habe ich schon gepackt. Du weißt bestimmt, wohin uns diese Reise führt.

Die Schüler öffnen den Koffer und vermuten, wozu diese Dinge gebraucht werden.

L: Wir machen eine Reise in die Welt der Kunst. Dabei werden wir begleitet.
Die Lehrkraft zeigt das Buchcover und stellt die beiden Katzen vor. Im „Kunstkoffer“ finden sich unterstützend die Kopiervorlagen (KV 1, 2) der beiden Katzen.
Die Schüler äußern sich frei zum Cover und finden eventuell Namen für die Katzen.

Der Lehrer und die Schüler betrachten gemeinsam S. 7 des Schülerbuchs; die Lehrkraft trägt den Text vor.
L: Es gibt viel zu entdecken!
Die Schüler beschreiben die Darstellung in den Fenstern; es folgt ein gemeinsames Gespräch über die einzelnen Themengebiete.
L: Wie du mit dem Buch arbeitest, erfährst du auf der nächsten Seite.
Gemeinsames Besprechen von S. 8 des Schülerbuchs; die Lehrkraft erklärt die Symbole (KV 3-5).
L: Du hast eine Kiste mit Materialien für Kunst dabei. Das wird nun dein „Kunstkoffer“ sein. Damit du ihn immer gleich findest, stellen wir ihn gemeinsam an einen festen Platz im Klassenzimmer.

Abschluss

Die Lehrkraft räumt gemeinsam mit den Kindern die „Kunstkoffer“ ein.
Tipp: *Folienstifte für fehlende Beschriftungen bereithalten.*

Was weißt du schon über Kunst?

Kommentar zu den Seiten 9 – 16

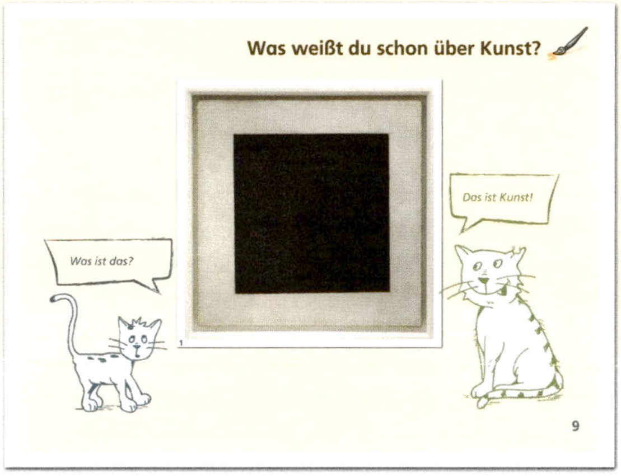

Material
- Schülerbuch
- ggf. Fotografie von Malewitsch

Sequenzübersicht

Über Kunst nachdenken

- **Wo begegnet dir Kunst?**
- **Gemälde können verschieden sein**
- **Damit geht's: Malwerkzeuge**
- **So geht's: Drucken**
- **Kunst ist mehr als nur gemalte Bilder**
- **Ich als Künstler**

Sachinformation

Das erste Kapitel knüpft an die Vorerfahrungen der Schülerinnen und Schüler an und dient gleichzeitig als Grundlage für eine Auseinandersetzung mit Kunst und Kunstwerke an sich.

Hierbei stehen zwei Fragen im Mittelpunkt:

1. „Wo sind dir solche oder ähnliche Kunstwerke schon begegnet?"

2. „Welche Technik wurde angewandt?" bzw. „Welche Technik ist dir bereits vertraut?"

Durch ein Gespräch über die abgebildeten Kunstwerke können die Kinder eigene Erfahrungen weitergeben und im Austausch mit den anderen neue Aspekte über die Bilder und die angewandten Techniken erfahren.

Informationen zum Kunstwerk

Kunstwerk	Künstler – Kunstepoche	Wissenswertes
„Das schwarze Quadrat", 1914/15 (?), Öl auf Leinwand, 79 × 79 cm, Trejakow-Galerie, Moskau	Kasimir Malewitsch (1879 – 1935) Suprematismus	Kasimir Malewitsch war Hauptvertreter der russischen Avantgarde, Wegbereiter des Konstruktivismus und Begründer des Suprematismus. Er beschritt mit seinem Bild „Das schwarze Quadrat" einen neuen Weg in der Kunst. Er schrieb: „Als ich 1913 den verzweifelten Versuch unternahm, die Kunst vom Gewicht der Dinge zu befreien, stellte ich ein Gemälde aus, das nicht mehr war als ein schwarzes Quadrat auf einem weißen Grundfeld ... Es war kein leeres Quadrat, das ich ausstellte, sondern vielmehr die Empfindung der Gegenstandslosigkeit." Das Gemälde gilt als wegbereitend für eine neue Form der Kunst und als „Ikone der Moderne". Ziel der neuen Form war die Ablösung von allem „Figürlichen". Kunst sollte das ausdrücken, was es darstellte.

Unterrichtsplanung

Ausgangspunkt ist das gemeinsame Betrachten des Gemäldes „Das schwarze Quadrat" auf S. 9.
Die Kinder äußern sich zunächst spontan zu dem Gemälde und zu den Sprechblasen der beiden Kater.
Die Lehrkraft stellt kurz den Künstler Kasimir Malewitsch vor, daraus entsteht ein gemeinsames Gespräch über „Kunst".

Mögliche Zielfragen:
- Was stellst du dir unter Kunst vor?
- Wo begegnet dir Kunst?

Die Lehrkraft lädt die Schüler ins „Buchmuseum" ein.

Was sind Gemälde?

Kommentar zu den Seiten 10 – 11

Material
- großes einfarbiges Tuch für Bodenbild
- Muggelsteine (Glaskugeln)

Unterrichtsplanung

Einstieg

Begegnung mit dem Lernbereich – Präsentation über ein Bodenbild: Die Kinder sitzen im Kreis um ein Tuch herum und betrachten gemeinsam die Bilder. Anschließend erfolgt ein Kreisgespräch.

Unterrichtsablauf

L: Diese Bilder sind berühmte Kunstwerke. Kennst du eines davon?

Jeder Schüler erhält einen Muggelstein (Glaskugel) und legt ihn zu einem Bild, das ihm bekannt vorkommt.

Die Schüler äußern sich frei, ggf. werden Satzmuster vorgegeben:
- Das Bild habe ich schon einmal (in einem Buch, Museum …) gesehen.
- Das Bild kommt mir bekannt vor, weil …

Die Lehrkraft stellt Fragen zu den Bildern, z. B.:
- Wohin würdest du gehen, wenn du so ein Gemälde ansehen möchtest?
- Wo könntest du solchen Gemälden noch begegnen?
- Kennst du einen dieser Künstler?
- Weißt du, wie das Bild heißt, an dem die meisten Muggelsteine liegen?

Es folgt ein genaues Betrachten der Gestaltungstechniken auf S. 10 und 11.

L: Sieh dir die Bilder im Buch noch einmal genau an. Sie sind sehr verschieden. Tausche dich in deiner Gruppe darüber aus. Wenn du eine Idee hast, wie oder womit sie gemacht worden sind, komm wieder in den Kreis!

Die Schüler erklären im Kreisgespräch ihre Vermutungen in freien Äußerungen, ggf. werden Satzmuster vorgegeben:
- Ich glaube, das ist mit … gemacht, weil …
- Der Künstler hat … verwendet … weil …

Die Lehrkraft geht auf die verschiedenen Techniken (z. B. Holzschnitt und Collage) ein.

Ausblick auf die nächste Stunde:

L: Sicher kam dir die eine oder andere Technik schon bekannt vor. Nächste Stunde werden wir einige näher untersuchen.

Abschluss

Die Kinder dürfen zum Abschluss Muggelsteine an das Bild legen, das sie am schönsten finden.

Weiterführende Ideen:

- AA: Überprüfe diese Woche, wo dir überall ‚Kunst' begegnet (z. B. auf dem Weg zur Schule …).
- Die Schüler bringen Bücher/Fotos von Museumsbesuchen, Eintrittskarten etc. mit und stellen sie vor.
- „Ich als Künstler!": Schüler bringen selbstgestaltete Bilder aus dem Kindergarten mit und präsentieren sie.
- Die Schüler suchen in Zeitschriften nach „Kunst", die ihnen begegnet.

Informationen zum Kunstwerk

Kunstwerk	Künstler – Kunstepoche	Wissenswertes
„Die gelbe Kuh", 1911, Öl auf Leinwand, 189,2 × 140,52 cm, Guggenheim Museum, New York	Franz Marc (1880 – 1916) („Blauer Reiter", siehe auch S. 146) Expressionismus	Um das Jahr 1911 lernte Franz Marc in München den Künstler Wassily Kandinsky kennen. Mit ihm zusammen entwarf er eine Farblehre, die seine eigene Vorstellung von Farbsymbolik verdeutlichte. Im Laufe der Zeit ersetzte Marc die ursprünglichen natürlichen Farben durch „Wesensfarben". Er beabsichtigte Dinge so zu malen, wie sie seiner Meinung nach wirklich waren, nicht wie wir sie in der Realität sehen. Die Idee zu dem Gemälde entstand 1911, als Franz Marc zusammen mit seiner langjährigen Lebensgefährtin Maria Franck nach England reiste. Zunächst entwickelte er eine Skizze des Motivs in Bleistift. Im Anschluss folgte eine vorbereitende Studie des Gemäldes in Öl auf Holz, die bereits wesentliche Gestaltungsmerkmale beinhaltete. Zur Herstellung des abgebildeten Gemäldes verwendete Franz Marc die Ölfarben als reine Farben auf der Leinwand. Die klaren Farben sollten sein subjektives Farbempfinden transportieren und nicht durch starke Mischung verfälscht werden.
„Zwölf Sonnenblumen in einer Vase", 1888, Öl auf Leinwand, 91 × 72 cm, Neue Pinakothek, München	Vincent van Gogh (1853 – 1890) Impressionismus	Die Sonnenblumen in der Vase sind Teil einer ganzen Bilderreihe zu diesem Thema, die Vincent van Gogh ab dem Jahr 1888 gemalt hat. Sie galten als Vorbereitung auf ein Treffen mit seinem Künstlerfreund Paul Gauguin. Den größten Bekanntheitsgrad der Bildreihe erreichte das Gemälde mit den zwölf Sonnenblumen. In einem Brief an seinen Bruder Theo äußerte van Gogh die Hoffnung, aufgrund der Bilder zusammen mit Gauguin in der Provence ein eigenes Atelier eröffnen zu können.
„Mona Lisa", 1503 – 1505, Öl auf Pappelholz, 77 × 53 cm, Louvre, Paris	Leonardo da Vinci (1452 – 1519) Renaissance	Die „Mona Lisa" ist wohl eines der bekanntesten und berühmtesten Gemälde der Kunstgeschichte. Im italienischen Original heißt sie „La Gioconda" („die Heitere") und wurde wahrscheinlich nach der Florentinerin Lisa del Giocondo benannt. Seit der französischen Revolution wird das Gemälde im Pariser Louvre aufbewahrt – bis auf zwei kleine Unterbrechungen, als es Napoleon in seinen Privaträumen aufhängen ließ und als es am 21.08.1911 gestohlen wurde. Getarnt als Reinigungspersonal hatte der Italiener Vincenzo Peruggia die „Mona Lisa" entwendet, um sie „nach Hause", sprich nach Italien, zu holen. Des Diebstahls verdächtig wurden zunächst aber auch der Schriftsteller Guilaume Apollinaire und Pablo Picasso. Picasso hatte nämlich dem Belgier Honoré Joseph Géry, der bei Apollinaire angestellt war, Statuen abgekauft, die dieser aus dem Louvre entwendet hatte. Erst zwei Jahre später wurde der Diebstahl aufgeklärt, als Peruggia versuchte die „Mona Lisa" an einen Kunsthändler in Florenz zu verkaufen.

Was sind Gemälde?

Kommentar zu den Seiten 10 – 11

Informationen zum Kunstwerk

Kunstwerk	Künstler – Kunstepoche	Wissenswertes
Selbstbildnis, um 1915, Holzschnitt	Ernst Ludwig Kirchner (1880 – 1938) Expressionismus („Die Brücke")	Geboren wurde Ernst Ludwig Kirchner in Aschaffenburg, wo gegenüber des Bahnhofs auch sein Geburtshaus liegt. Seit 2012 sind darin ein Museum und Ausstellungsräume untergebracht (nähere Informationen unter: *http://kirchnerhaus-aschaffenburg.de*). Die Nähe zum Bahnhof hat auch sein künstlerisches Wirken beeinflusst. „Ich bin am Bahnhof geboren. Das erste was ich im Leben sah, waren die fahrenden Lokomotiven und Züge. Sie zeichnete ich, als ich 3 Jahre alt war. Vielleicht kommt es daher, dass mich besonders die Beobachtung der Bewegung zum Schaffen anregt. Aus ihr kommt mir das besondere Lebensgefühl, das der Ursprung des künstlerischen Werkes ist." 1905 gründete Kirchner mit Erich Heckel, Karl Schmidt-Rottluff und anderen die Künstlergemeinschaft „Die Brücke" (siehe auch S. 146). Kirchner zählt zu den einflussreichsten Künstlern des 20. Jahrhunderts. Dabei beschäftigte er sich nicht nur mit der Malerei. Vielmehr experimentierte er sehr umfangreich mit Druckgrafiken und nutzte diese, um sich im neuen expressionistischen Stil auszuprobieren.
„Friedenstaube", 1961, Offset Lithografie, 47 x 54,6 cm	Pablo Picasso (1881 – 1973)	Zu Tauben hatte Pablo Picasso eine persönliche Beziehung, da sein Vater in seinem Haus in Malaga eine Taubenzucht unter dem Dach hatte. Das Motiv der Taube für das Plakat, das Picasso im Jahr 1949 für den Pariser Weltfriedenskongress entwarf, wurde weltweit zum Friedenssymbol. Seine Tochter, die am Tage des Kongresses geboren wurde, erhielt den Namen Paloma, was im Spanischen Frieden bedeutet. Sechs Jahre später bekam Picasso für seine Darstellung der Taube den Weltfriedenspreis. Die Friedenstaube ist wohl das bekannteste und am meisten vervielfältigte Bild Picassos.
„Polynesien. Das Meer", 1946, Gouache-Schnitt, 200 x 314 cm, Musée National d'Art Moderne, (Centre Pompidou), Paris	Henri Matisse (1869 – 1954) Klassische Moderne Fauvismus	Henri Matisse zählt neben Pablo Picasso zu den bedeutendsten Künstlern der Klassischen Moderne. Er gilt als Hauptvertreter des Fauvismus, einer Kunstrichtung, die sich die Loslösung vom Impressionismus als Ziel gesetzt hatte. Den Begriff „Fauves" („wilde Tiere") prägten Kritiker beim Herbstsalon 1906 in Paris, an dem Matisse und seine Künstlerkollegen teilnahmen. Der eigentliche Aufreger war Matisses Gemälde „Femme au chapeau", das vor allem durch seine Farbgebung auffiel. Nach einer Krebsdiagnose im Jahr 1941 begann eine neue Schaffensphase. Von der Krankheit gezeichnet entwickelte Matisse seine „gouaches découpées" – das Malen mit der Schere. Da er auf den Rollstuhl angewiesen war, ließ er Papiere nach seinen Vorstellungen einfärben und schnitt die Motive für seine Bilder aus. Mit der Hilfe seiner Assistentin arrangierte er die einzelnen Formen anschließend auf dem Untergrund.

Damit geht's: Malwerkzeuge

Kommentar zu Seite 12

Material
- Malwerkzeuge wie abgebildet
- kleine Zeichenblätter oder Skizzenbuch
- KV 6
- Material zur Vorbereitung des Arbeitsplatzes (Unterlage, „Kunstkoffer", Kittel …)
- KV Materialkarten

Unterrichtsplanung

Einstieg

Gemeinsames Betrachten der Abbildungen auf S. 12.
Die Schüler äußern sich zunächst spontan, dann werden die Werkmittel gemeinsam besprochen:
- Welche Arbeitsmittel kennst du?
- Womit hast du schon gestaltet?
- Welche Malwerkzeuge hast du in deinem Mäppchen, im „Kunstkoffer" …?

Die Schüler ordnen die Malwerkzeuge den entsprechenden Bildern zu und begründen ihre Wahl.

Unterrichtsablauf

Bearbeiten des Gestaltungsauftrags auf S. 12:
Welche verschiedenen Spuren kannst du herstellen?

Die Lehrkraft hat die Werkmittel von S. 12 an verschiedenen Stationen vorbereitet und führt nun zunächst den Ordnungsrahmen ein.
Entscheidet man sich für den Einsatz eines Skizzenbuchs (KV 6) wird dieses nun eingeführt.

Explorationsphase:
Die Schüler probieren die Werkmittel an den Stationen selbst aus.

Evaluation der Ergebnisse:
Kreisgespräch mit Präsentation der Explorationsergebnisse und begründeter Erfahrungsaustausch
- Buntstifte eignen sich, wenn ich dünne Linien zeichnen möchte.
- Mit dem Borstenpinsel kann ich …
- Der Schwammpinsel …

Abschluss

Die Lehrkraft greift Bilder von S. 10 und S. 11 auf:
Sieh dir die Bilder an. Erkennst du das Malwerkzeug und hättest du es auch verwendet? Begründe.
Die Schüler betrachten die Seiten noch einmal und begründen.

Ausblick auf die nächste Stunde:

Die Lehrkraft greift die Abbildung mit dem Holzschnitt auf und verweist auf die Technik „Drucken".

Kommentar zu Seite 13

So geht's: Drucken

Womit haben die Kinder gedruckt? Ordne zu!
Womit möchtest du drucken? Probiere verschiedene Dinge aus.
Achte dabei auf die unterschiedlichen Oberflächen.
Welches Material würdet ihr verwenden, wenn ihr einen Turm drucken wollt?
Begründet euren Vorschlag.
13

Material
- Malwerkzeuge wie abgebildet
- kleine Zeichenblätter oder Skizzenbuch
- Material zur Vorbereitung des Arbeitsplatzes (Unterlage, „Kunstkoffer", Kittel …)
- KV 6

Unterrichtsplanung

Einstieg

Gemeinsames Betrachten der Abbildungen auf S. 13.
Die Schüler äußern sich zunächst spontan.
Die Lehrkraft ruft Vorerfahrungen der Schüler ab:
Hast du auch schon einmal gedruckt?
Überleitung:
L: Auch die Kinder in unserem Buch haben ihre Bilder gedruckt.
Die Schüler betrachten die Abbildungen und äußern sich dazu.

Unterrichtsablauf

Der Fokus wird auf die „Gedanken" des Katers gerichtet:
Womit haben die Kinder gedruckt?
Bearbeitung des ersten Arbeitsauftrags auf S. 13:
Die Schüler ordnen die Werkmittel zu und begründen ihre Wahl.
Bild links: Löwenmähne = Pappkante, Palmenstamm = halber Korken, Palmenblatt = Blätter, Löwengesicht = Wattestäbchen, Löwenkörper = Pappschablone
Bild rechts: Fische = Pappschablone, Luftblasen = Fingerdruck, Wasserpflanzen = Handabdruck

Explorationsphase:
Die Lehrkraft hat die entsprechenden Werkmittel von S. 13 an verschiedenen Stationen vorbereitet.
AA: Womit möchtest du drucken? Probiere verschiedene Dinge aus.

Die Schüler probieren die Werkmittel an den Stationen selbst aus und sammeln die Ergebnisse im Skizzenbuch. (KV 6)

Evaluation der Ergebnisse:
Kreisgespräch mit Präsentation der Explorationsergebnisse und begründetem Erfahrungsaustausch

- Wenn ich Haare drucken will, nehme ich …
- Für einen Baumstamm eignet sich …

Abschluss

L: Du hast nun verschiedenes Material ausprobiert. Womit würdest du einen Turm drucken?
Die Schüler vermuten, reflektieren und begründen.

Nun bist du an der Reihe! – Malen, Drucken, Collagieren

Kommentar zu Seite 14

Material
- sämtliche Werkmittel der Unterrichtseinheit
- Zeichenblätter
- verschiedene bunte Papiere
- Klebstoff
- Scheren
- Material zur Vorbereitung des Arbeitsplatzes
- KV 7

Unterrichtsplanung

Einstieg

Gemeinsames Betrachten der Abbildungen auf S. 14.
AA: Womit und wie arbeiten die Kinder?
Die Schüler äußern sich spontan.

Unterrichtsablauf

Nachdem die Kinder verschiedene Werkmittel und technische Verfahren im Kapitel explorativ kennengelernt haben, sollen sie sich in der Gestaltungsphase für eine selbst gewählte Technik entscheiden.
Es ist deshalb sinnvoll, das Arbeitsmaterial im „Werkstattcharakter“ anzubieten.

Die Lehrkraft stellt das Arbeitsmaterial bereit und wiederholt den Ordnungsrahmen.

L: Nun bist du an der Reihe. Du arbeitest heute in der Gruppe. Überlegt zusammen zuerst, welches Motiv (was) ihr darstellen wollt.
Tipp: Falls der Begriff Motiv nicht bekannt ist, muss er zunächst erklärt werden: KV 7 (Wortkarte Motiv).
Die Schüler finden sich in Gruppen zusammen (max. 4 Kinder).
AA: Einigt euch gemeinsam auf ein Motiv.

L: Gestaltet jetzt euer gemeinsames Motiv in verschiedenen Techniken. Die Werkmittel dazu findet ihr an unseren Materialtischen.
Die Schüler arbeiten selbstständig; die Lehrkraft gibt als Helfer und Begleiter Tipps zur Umsetzung der Ideen.

Evaluation der Ergebnisse:
Die Schüler vergleichen zunächst die unterschiedlichen Ergebnisse in der eigenen Gruppe.
Anschließend findet die Präsentation der Ergebnisse statt, z. B. in Form eines Museumsrundgangs.
Gemeinsames Gespräch:
- Welche Technik hat sich als beonders geeignet für das Motiv herausgestellt.
- Verändert die Technik die Wirkung? Wenn ja, wie?

Abschluss

Die Einzelergebnisse jeder Gruppe werden auf einem Plakat zusammen präsentiert.
Die Schüler finden einen Titel für ihr Bild, ggf. schreibt die Lehrkraft die verwandten Techniken unter die Einzelbilder.

L: Wo könnten wir unsere Bilder ausstellen? Wir wollen gemeinsam einen geeigneten Ort im Schulhaus finden.

Kunst ist vielfältig

Kommentar zu Seite 15

Material
- Schülerbuch
- Bildband über Architektur und Skulpturen
- Internetrecherche
- KV 66, 67

Unterrichtsplanung

Einstieg

Gemeinsames Betrachten der Abbildungen auf S. 15.
Die Lehrkraft nimmt Bezug auf die Sprechblase des großen Katers:

L: Wir wollen uns ansehen, welche Kunstwerke uns der Kater dieses Mal vorstellen will.

Die Schüler äußern sich spontan.

Unterrichtsablauf

Die Kinder werden angeleitet, ihre Vorstellung vom gängigen Kunstbegriff „Kunstwerk ist gleich Bild" zu erweitern. Sie erkennen, dass ein Kunstwerk nicht ausschließlich ein gemaltes Bild sein muss, sondern dass auch Skulpturen, Bauwerke und Designobjekte unter dem Begriff „Kunst" zusammengefasst werden.
Durch ein Gespräch über die abgebildeten Kunstwerke erweitern die Kinder ihren eigenen Erfahrungshorizont.

AA: Beschreibt die Kunstwerke, die hier abgebildet sind.
L: Weißt du auch, wie man die verschiedenen Kunstwerke nennt?

Die Schüler äußern sich frei dazu.

Die Lehrkraft klärt Fachbegriffe wie Skulptur (*KV 66, 67: Wortkarte Skulptur*) und erklärt, dass z. B. auch Häuser zu Kunstwerken gezählt werden können (Architektur).

Danach findet ein gemeinsamer Austausch statt:
- Hast du solche Kunstwerke auch schon gesehen?
- Wo gibt es bei uns ähnliche Kunstwerke, z. B. ein Denkmal, ein besonderes Haus oder eine Skulptur?

Abschluss

Gemeinsam wird ein Unterrichtsgang zu einem entsprechenden Kunstwerk in der Nähe durchgeführt.

Jetzt weiß ich schon viel mehr! – Über Kunst nachdenken

Kommentar zu Seite 16

Jetzt weiß ich schon viel mehr!

- Bilder kann ich in unterschiedlichen Techniken gestalten. Ich kann zum Beispiel malen, zeichnen und drucken.
- Verschiedene Werkzeuge ergeben verschiedene Spuren.
- Auch Figuren, Gebäude und die Natur sind manchmal Kunst.

Stell dir vor, Kunst ist noch mehr!

An was denkt der Kater?

Museum, Theater, Konzerthalle oder besondere Bauwerke – was gibt es in eurer Nähe? Plant einen Ausflug, um Kunst zu entdecken.

16

Material
- Schülerbuch
- KV Reflexionskarte „Künstlertreff“
- KV 6–10

Unterrichtsplanung

Einstieg

Die Lehrkraft führt den „Künstlertreff“ und die „Wortschatzkiste“ ein.

L: Du hast nun schon viel über Kunst erfahren. In unserem Künstlertreff wollen wir noch einmal darüber sprechen. Wenn du über Kunst sprechen willst, brauchst du manchmal ganz bestimmte Fachbegriffe. Damit wir die Fachbegriffe, die wir lernen, nicht vergessen, wollen wir sie in unserer Wortschatzkiste sammeln.

Unterrichtsablauf

Die Lehrkraft zeigt im Kreis noch einmal die Ergebnisse aus der Exploration mit den verschiedenen Werkmitteln im Skizzenbuch (KV 6), die Bilder aus der Gestaltungsphase und den „Kunstkoffer“.
Es folgt ein zusammenfassendes Gespräch über das, was die Kinder in diesem Kapitel erfahren haben.

L: Du hast erfahren, dass Bilder in unterschiedlichen Techniken gestaltet werden können.
Die Schüler fassen noch einmal zusammen.
Die Lehrkraft legt die Wortkarten Zeichnen, Malen, Drucken (KV 7-10) dazu und zeigt noch einmal die verschiedenen Pinsel.
L: Du weißt nun auch, dass verschiedene Werkzeuge verschiedene Spuren hinterlassen.
Die Schüler äußern sich dazu.
L: Um über Kunst zu sprechen, haben wir viele neue Wörter für unsere Wortschatzkiste gefunden (Fachbegriffe der Werkmittel, Drucktechniken, Darstellungsweisen …).
L: Was gehört außer Gemälden noch zur Kunst?

Der Ausblick gibt anschließend die Gelegenheit, den Kunstbegriff noch weiter zu fassen:
Musik, Theater und Literatur gehören auch zur Kunst.

L: Sieh dir den Kater genau an. An was denkt er?
Lehrer-Schüler-Gespräch über Erfahrungen mit Theater, Musical, Ballett, Büchern …
AA: Nennt Orte, z. B. ein Theater oder ein Museum, das bei euch in der Nähe liegt.

Abschluss

AA: Gemeinsam wird ein Unterrichtsgang zu einem Theater, Museum o. Ä. in der Nähe geplant und durchgeführt.

Erfahrungswelten

Kommentar zu den Seiten 17 – 24

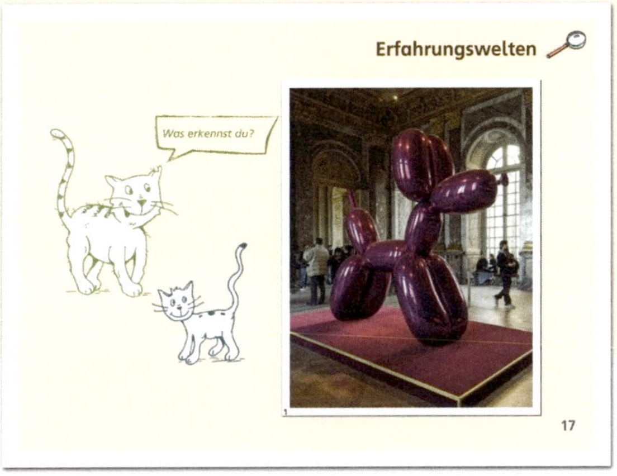

Material
- Schülerbuch
- ggf. Powerpoint-Präsentation/ Smartboard
- Bild von Pudel oder Terrier

Sequenzübersicht

Erfahrungswelten

- Woran erkenne ich einen Hund?
- Tiere sehen verschieden aus
- Mein Lieblingstier
- Wir mischen Farben
- Pflanzen haben verschiedene Farben und Formen
- Mein Wiesenstück

Sachinformation

Das Themengebiet Erfahrungswelt beschäftigt sich in erster Linie mit der Weiterentwicklung der kindlichen Ausdrucksfähigkeit. Schon im Vorschulalter teilen sich Kinder spontan und direkt durch ihre Bilder und Zeichnungen mit. Dabei steht die naturgetreue Darstellungsweise zunächst nicht im Fokus des kindlichen Interesses. Mit zunehmendem Alter kommt allerdings der Wunsch nach einer wirklichkeitsnahen oder realistischen Darstellung auf. Um dies zu erreichen, müssen die Kinder zunächst darin geschult werden, ihre Umwelt im Detail zu beobachten und bewusst wahrzunehmen. Durch das regelmäßige genaue Betrachten realer Vorbilder verändert sich die Sichtweise auf das Objekt. Die Orientierung an den gewonnenen Erkenntnissen und Erfahrungen unterstützt die Entwicklung der eigenen Darstellungsfähigkeit.

Informationen zum Kunstwerk

Kunstwerk	Künstler – Kunstepoche	Wissenswertes
„Balloon Dog“, Skulptur aus Stahl, 307,3 × 363,2 × 114,3 cm Zwischen 1994-2000 entstanden fünf Versionen der Skulptur in den Farben Blau, Magenta, Gelb, Orange, Rot.	Jeff Koons (*1955)	Jeff Koons Balloon Dogs (Orange)“ wurde 2013 für 58,4 Millionen US-Dollar im New Yorker Auktionshaus Christie's versteigert. Koons gilt seitdem als einer der teuersten Künstler der Welt. Häufig greift er in seinen Skulpturen Themen aus der „Alltagskunst“ oder Werbung auf. In der Kunstszene rief er mit seinen Werken immer wieder Debatten über die Frage „Was ist ‚Kunst' und was ‚Kitsch'?“ hervor.

Unterrichtsplanung

Gemeinsames Betrachten der Skulptur „Balloon Dog“ (evtl. Bildbetrachtung mit Dalli-Klick-Methode, d.h. erst einen kleinen Ausschnitt zeigen und dann schrittweise das ganze Bild aufdecken).
Technik 1: Bild in Powerpoint-Präsentation einfügen: Immer ein Ausschnitt mehr fliegt ein, bis das Werk ganz zu sehen ist.
Technik 2: Bild verdeckt an TafeL: Einzelne Teile aufdecken
Technik 3: Spotlight-Funktion am Smartboard

L: Woran erinnert dich die Skulptur?

Die Schüler äußern sich spontan und bringen ihre Vorerfahrungen ein, z. B. Luftballontier, Hund … Daraus entsteht ein gemeinsames Gespräch über die Merkmale eines Hundes:
- Woran hast du den Hund erkannt?
- Welche Hunderasse könnte es sein? (Pudel, Airdaleterrier …)

Es folgt eine Gegenüberstellung der realen Darstellung eines Hundes und der Skulptur von Koons (auch als Powerpoint-Präsentation oder am PC bzw. Smartboard möglich), dabei beschreiben die Kinder Gemeinsamkeiten und die erkannten Schemata eines Hundes und begründen:
- „… sieht aus wie ein Hund, weil …“
- „Wenn ich Skulptur und Bild vergleiche, dann stelle ich fest …“

Wie Tiere aussehen können

Kommentar zu Seite 18

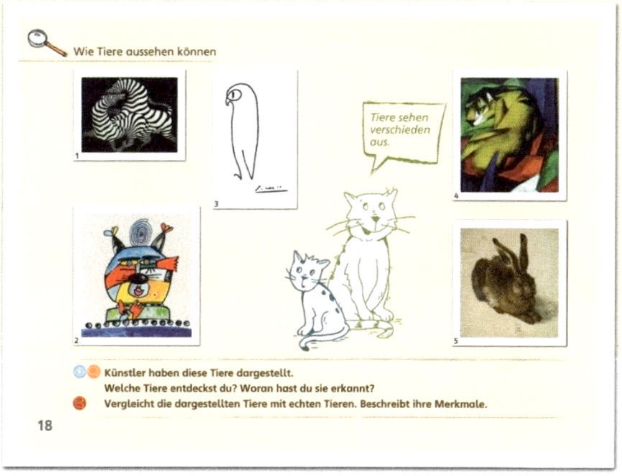

Material
- Bilder als Farbausdruck
- Fotos von realen Tieren als Farbausdruck
- großes einfarbiges Tuch für Bodenbild
- Muggelsteine

Unterrichtsplanung

Einstieg

Gemeinsames Betrachten der S. 18.

Kinder äußern sich zunächst spontan zu den dargestellten Tieren, z. B.

- „Manche Tiere sehen wie echt aus!"; „So eine bunte Katze gibt es gar nicht."

Unterrichtsablauf

Über den AA wird nun genauer auf die Darstellung eingegangen.

AA 1: Welche Tiere erkennst du? Woran hast du sie erkannt?

Gemeinsam mit der Lehrkraft erarbeiten die Kinder die typischen Merkmale für das genannte Tier, z. B.

- „Zebras erkenne ich an den Streifen."; „Die Katze erkenne ich an den Schnurrhaaren."

Die Kunstwerke und entsprechende reale Darstellungen der dargestellten Tieren werden anschließend in einem Bodenbild präsentiert.

Um die typischen Merkmale der dargestellten Tiere erarbeiten zu können, sollten noch weitere ähnliche Tierfotos im Bodenbild vorhanden sein (z. B. Pferd, Esel, Leopard, Hund, Uhu ...).

L: Wir wollen sehen, ob die Künstler die Tiere auch wirklich richtig gut getroffen haben.

AA 2: Vergleicht die dargestellten Tiere mit echten Tieren. Beschreibt die Merkmale.

Die Kinder wählen ein Tierpaar (z. B. Tiger) aus und begründen ihre Zuordnung.

Hilfsimpuls: Könnte es vielleicht auch ein Löwe (ein Esel, ein Hund ...) sein?

Die Schüler erklären, weshalb eine Zuordnung zu diesem Tier nicht passt, z. B.

- „Der Löwe passt nicht, weil er keine Streifen hat, die Farbe zu braun ist, eine Mähne fehlt ..."

Es folgt ein genaues Betrachten der einzelnen Merkmale.

Die Lehrkraft wählt dazu exemplarisch ein Bilderpaar aus, z. B. Zebras.

L: Du hast die Zebras sofort erkannt. Sieh dir die Streifen noch einmal genau an!

Die Schüler entdecken die Unterschiede in der künstlerischen Umsetzung und der realen Darstellung.

Als Fazit wird festgestellt: Auch wenn die Streifen im Künstlerbild nicht genauso aussehen wie bei einem echten Zebra, kann ich das Tier trotzdem erkennen. Analog werden nun die anderen Tiere verglichen.

Abschluss

Ausblick auf die nächste Stunde:

L: Du darfst dein Lieblingstier darstellen! Überlege, wie du es darstellen willst. Bringe dafür passendes Material mit.

Nun bist du an der Reihe! – Mein Lieblingstier

Kommentar zu Seite 19

Material
- Skizzenbuch
- Material zur Vorbereitung des Arbeitsplatzes (Unterlage, „Kunstkoffer“, Kittel ...)
- Materialangebot der Werkstatt
- Ausstellungskärtchen für die Präsentation
- KV 6

Unterrichtsplanung

Einstieg

Gemeinsames Betrachten der Abbildungen auf S. 19.

L: Hier haben Kinder ihre Lieblingstiere dargestellt.

Die Schüler äußern sich zu den Tieren und den Darstellungsmöglichkeiten.

Unterrichtsablauf

Explorationsphase: Einführung der Skizze als Gestaltungstechnik.

Die Lehrkraft führt den Begriff Skizze ein.

L: Stelle dein Lieblingstier in einer Skizze dar. Denke dabei an die Schemata, sie helfen dir.

Die Schüler probieren im Skizzenbuch (KV 6) ihre Tierzeichnung, danach folgt ein Kreisgespräch mit Präsentation der Explorationsergebnisse:

- Gemeinsam wird besprochen, ob das Tier schon gut zu erkennen ist.

Gestaltung

L: Suche dir nun aus, wie du dein Tier gestalten möchtest. Du darfst dafür wieder in die Kunstwerkstatt.

Die Lehrkraft erklärt die Arbeitsschritte:

1. Gestalte dein Tier so, dass die anderen Kinder es an seinen Merkmalen erkennen können.
2. Suche dein Arbeitsmaterial heraus und stelle es bereit.
3. Melde dich, wenn du Hilfe benötigst.
4. Wenn du das Signal hörst, beendest du deine Arbeit.
5. Stelle das Ergebnis deinen Mitschülern vor.

Der Fokus dieser Unterrichtseinheit liegt auch in der Präsentation der Ergebnisse.

Die Kinder stellen ihr Ergebnis vor und begründen sowohl die Auswahl des Tieres als auch die der Technik.

Gemeinsam wird besprochen, woran man das Tier erkannt hat, spezifische Schemata werden wiederholt und vertieft.

Abschluss

Die Kinder überlegen, wie man die unterschiedlichen Ergebnisse präsentieren kann (z. B. im Schulhaus).

Schau genau: Pflanzen

Kommentar zu den Seiten 20 – 21

Informationen zum Kunstwerk

Kunstwerk	Künstler – Kunstepoche	Wissenswertes
„Das große Rasenstück“, 1503, Wasser- und Deckfarbe auf Papier, 41 × 31,5 cm, Graphische Sammlung Albertina, Wien	Albrecht Dürer (1471 – 1528) Renaissance	Albrecht Dürer war Wegbereiter der deutschen Renaissance. Mit seinem Aquarell von 1503 machte Dürer als erster Künstler ein alltägliches Motiv zum Thema eines Kunstwerks und prägte damit das Genre der „Naturstudien“. Das Bild zeigt zwar einen sehr naturgetreuen Ausschnitt eines Wiesenstücks, ist aber wahrscheinlich im Atelier entstanden. Hinweise darauf finden sich im tiefen Blickpunkt und in der detailgetreuen Darstellung der einzelnen Pflanzen. Dürer sah es als Aufgabe des Malers an, die Natur in ihrer wahren Schönheit darzustellen. 1504 schrieb er dazu in einer Abhandlung: „Das Leben in der Natur gibt die Wahrheit in allen Erscheinungen zu erkennen. Darum sieh sie dir fleißig an, richte dich danach und geh nicht ab von der Natur.“ Albrecht Dürers Gemälde gilt als eine der bekanntesten Naturstudien in der deutschen Kunstgeschichte. Zu den dargestellten Pflanzen gehören Knäuelgras, Schafgarbe, Ehrenpreis, Breitwegerich, Gänseblümchen und Löwenzahn.

Unterrichtsplanung

Material
- kleine Zeichenblätter oder Skizzenbuch
- KV Reflexionskarte „Tipp und Lob"
- KV 6, 11

Einstieg

Ausgangspunkt ist die Begegnung mit dem Gemälde von Dürer. Die Schüler äußern sich zunächst spontan und beschreiben das Bild möglichst detailliert.

L: Könnte das eine echte Wiese sein? Begründe.
Die Schüler äußern sich dazu.

Unterrichtsablauf

Um die Besonderheit der Darstellung herauszustellen wird das Gemälde im historischen Kontext vorgestellt.
Die Lehrkraft hängt ein Bild von Albrecht Dürer an die Tafel, stellt den Künstler kurz vor, z. B:
- hat vor langer Zeit gelebt (eine Zeitleiste als Visualisierungshilfe ist hier hilfreich, s. KV 11)
- es gab damals noch keine Fotokamera;
- alles musste gemalt werden;
- Farben waren teuer, deshalb war es etwas ganz besonderes, dass Dürer so etwas Alltägliches wie ein Stück Wiese gemalt hat.

L: Ich finde, das ist ihm richtig gut gelungen. Wir wollen uns das Bild genauer ansehen.
Gemeinsames Betrachten von S. 21 evtl. mit einer Lupe.
AA 1: Beschreibe die Pflanzen auf dem Bild genau. Welche Formen entdeckst du?

In einem gemeinsamen Gespräch wird auf die verschiedenen Pflanzenformen eingegangen, dabei regt die Lehrkraft einen Vergleich mit realen Pflanzen an (AA 2):
- Kennst du einige dieser Pflanzen?
- Findest du solche Pflanzen auf unserem Schulgelände?

AA 3: Fertige eine Skizze von einer Pflanze an.
Den Begriff Skizze wiederholen oder ggf. einführen.
Verschiedene Wiesenpflanzen entweder im Klassenraum anbieten oder mit Skizzenbüchern (KV 6) nach draußen gehen.
Die Schüler fertigen Skizzen von Pflanzenformen an.

Abschluss

Evaluation der Ergebnisse.
Es findet ein begründeter Erfahrungsaustausch statt:
Lob: „An deiner Skizze gefällt mir ..."; Tipp: „Für ... gebe ich dir den Tipp ..."

Schau genau: Pflanzen – Nun bist du an der Reihe!

Kommentar zu den Seiten 22 – 23

Material
- 4-5 Passepartous oder Motivrahmen (selbst hergestellt aus Pappkarton) KV 12
- Lupen
- Skizzenbuch (KV 6) und Farbstifte
- Wasserfarbkasten
- Zeichenblätter
- Material zur Vorbereitung des Arbeitsplatzes

Unterrichtsplanung

Einstieg

Überleitung von S. 21:

L: Dürers Bild hat nicht nur Formen, sondern auch Farbe.
Eine Farbe findest du besonders oft.

Die Schüler äußern sich: Grün gibt es oft.

Unterrichtsablauf

Ausgangspunkt ist das gemeinsame Betrachten der verschiedenen Grüntöne auf S. 22.
AA 1: In der Natur gibt es viele verschiedene Grüntöne. Welche entdeckst du auf diesem Bild?
Die Schüler benennen die Grüntöne und versuchen sie mit treffenden Farbnamen zu beschreiben (z. B. hellgrün, khaki, flaschengrün …)

AA 2: Geht raus und schaut euch ein Stück Wiese genau an.
Es folgt ein Unterrichtsgang auf eine Wiese mit Motivrahmen (Pappkarton mit Ausschnitt oder Passepartout, um Blick zu fokussieren), Lupe, Skizzenbuch (KV 6) und Farbstiften.

L: Finde mit deinem Motivrahmen ein passendes Stück Wiese. Sieh es dir genau an!
- Welche Farben entdeckst du?
- Wie viele verschiedene Grüntöne findest du?
- Findest du die verschiedenen Grüntöne aus Dürers Bild auch auf deiner Wiese?
- Mache dir Notizen.
- Skizziere deinen Wiesenausschnitt.

Evtl. Ausdrucke von Dürers „Rasenstück“ mitnehmen.
AA: Findest du Dürers „Rasenstück“ auf deiner Wiese?

Überleitung zum Farblabor.
Jedes Kind hat das Arbeitsmaterial bereitgestellt.
AA 3: Welche Farben findet ihr in eurem Farbkasten wieder?
Die Kinder betrachten den eigenen Farbkasten und vergleichen mit den Farben, die sie auf der Wiese entdecken konnten.

Gemeinsames Betrachten von S. 23.
L: Begleite unsere Katzen ins Farblabor:
Die Schüler lernen die drei Grundfarben kennen.

Explorationsphase:
AA 1: Welche beiden Farben geben zusammen Grün?
Die Kinder explorieren im Skizzenbuch mit den drei Farben.
Tipp: Herauslösen der drei Farbnäpfe (Blau, Gelb, Rot) aus dem Malkasten, damit nur diese zur Exploration zur Verfügung stehen.

Gemeinsames Besprechen der Ergebnisse:
- Wenn ich Blau und Rot mische, dann …
- Wenn ich mehr Gelb zu dem Blau mische, dann …

AA 2: Mische aus Blau, Gelb, Rot andere Farben.
AA 3: Fokus auf die Mischung der Grüntöne und Pflanzenformen legen und ein Wiesenstück gestalten.

Abschluss

Evaluation der Ergebnisse.
Es findet ein begründeter Erfahrungsaustausch statt:
Lob: An deiner Wiese gefällt mir …; Tipp: Für … gebe ich dir den Tipp …

Kriterien zur Gestaltung:
- möglichst verschiedene Grüntöne ermischen;
- unterschiedliche Formen der Pflanzen und deren Blätter;
- evtl. schon von Dürers „Rasenstück“ die Überschneidung thematisieren und diese dann als Kriterium aufnehmen.

Jetzt weiß ich schon viel mehr! – Tiere und Pflanzen

Kommentar zu Seite 24

Jetzt weiß ich schon viel mehr!

- Tiere und Pflanzen kann ich an bestimmten Formen und Farben erkennen.
- Wenn ich verschiedene Formen und Farben verwende, kann ich Dinge aus der Natur besser darstellen.
- Eine Skizze ist eine grobe Zeichnung.
- Mit den drei Grundfarben Blau, Rot und Gelb kann ich die anderen Farben mischen, nur Schwarz, Weiß und Grau nicht.

Durch genaues Hinsehen entdecke ich mehr!

Welche besonderen Merkmale hat ein Mensch? Betrachte deinen Partner und beschreibe sie.

24

Material
- Schülerbuch
- KV Reflexionskarte „Künstlertreff"
- KV 13, 14
- Muggelsteine
- Farbkärtchen aus Transparentpapier in Blau, Rot, Gelb
- Farbkarten in Schwarz, Weiß, Grau

Unterrichtsplanung

Einstieg

Kinder und Lehrkraft treffen sich zum Künstlertreff im Kreis.
Auf einem Bodentuch liegt die Karte „Künstlertreff" (KV Reflexionskarte), das auf S. 24 aufgeschlagene Schülerbuch und eine Schale mit Muggelsteinen.
L: Wir haben wieder ganz schön viel über Tiere und Pflanzen in der Kunst erfahren.

Künstlertreff

Die Schüler fassen noch einmal zusammen:
- Ich kann Tiere an bestimmten Formen erkennen;
- Pflanzen haben verschiedene Formen;
- Grün kann verschieden aussehen.

Die Lehrkraft legt farbige Wortkarten (Blau, Rot, Gelb) dazu, ggf. durch Überlappung der Farbkärtchen die Farbmischung erzeugen:
- Blau und Gelb vermischt, ergibt Grün.
- Aus Blau, Gelb, Rot kann ich andere Farben mischen.

L: Das sind die neuen Wörter für unsere Wortschatzkiste.
Die Lehrkraft legt die Wortkarten „Skizze", „Grundfarben" und die Farbnamen (Rot, Blau, Gelb, Grün, Orange, Violett, Braun) dazu.
Die Schüler äußern sich dazu, wiederholen die Farbnamen und beschreiben, was Grundfarben sind oder „Skizze" bedeutet.
L: Manche Farben kann ich nicht aus den Grundfarben mischen.
Die Schüler vermuten.
Die Lehrkraft legt Farbkarten in Schwarz, Weiß, Grau in die Mitte und liest Punkt 4 aus dem Merkkasten S. 24 vor. Gemeinsam wird besprochen, dass Grau aus Schwarz und Weiß gemischt werden kann.

Ausblick

Gemeinsames Bearbeiten vom AA auf S. 24 unten.
AA: Welche besonderen Merkmale hat ein Mensch? Betrachte deinen Partner und beschreibe seine besonderen Merkmale.

Kommentar zu den Seiten 25 – 32

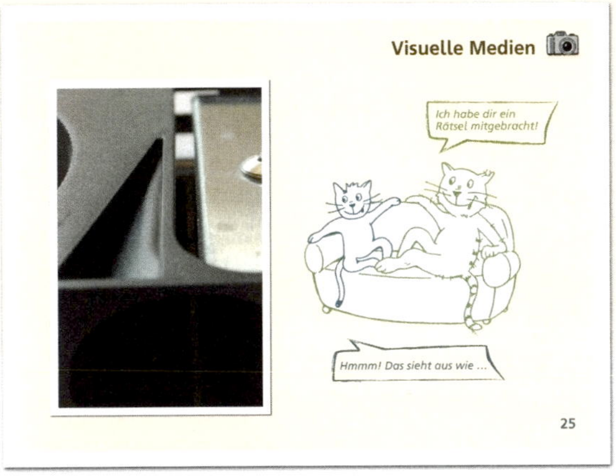

Sequenzübersicht

Visuelle Medien

- **Auf den zweiten Blick**
- Damit geht's: Fotokamera
- So geht's: Fotografieren
- Fotosafari
- **Gleich und doch nicht gleich**
- **Fotorätsel**

Sachinformation

Digitalkamera, Tablet, Smartphone – die digitalen Medien haben längst Einzug in den Alltag der Kinder gehalten und sind inzwischen fast zur Selbstverständlichkeit geworden.
Für den Kunstunterricht bedeutet dies zunächst einmal eine enorme Erweiterung des künstlerischen Gestaltungsspektrums. Egal ob man fotografiert, filmt, dokumentiert oder bearbeitet – digitale Medien bieten ein breites kreatives Handlungsfeld. Es ist im Gegenzug aber auch wichtig, die Kinder im Umgang mit digitalen Medien pädagogisch zu begleiten und auf mögliche Gefahren innerhalb ihrer „digitalen Umwelt" aufmerksam zu machen. Im vorliegenden Kapitel wird neben dem rein technischen Umgang mit einer Digitalkamera deshalb auch der Blick auf das Motiv geschult.

Informationen zum Kunstwerk

Kunstwerk	Künstler – Kunstepoche	Wissenswertes
„Pareidolie" wird das angeborene Phänomen des Menschen genannt, beim Wahrnehmen bestimmter Strukturen diesen eine Bedeutung zu geben. Das ist auch der Grund, weshalb wir in alltäglichen Gegenständen oft Gesichter oder Wesen erkennen.	François und Jean Robert (*in La-Chaux-de-Fonds, Schweiz)	Die Künstlerbrüder François und Jean Robert haben sich diesem Thema gewidmet. Über Jahre hinweg fotografierten sie alltägliche Gegenstände, in denen der Betrachter Gesichter erkennen kann. Über 130 Fotografien sind in dem Bildband „Gesichter", erschienen im Gerstenberg Verlag, zusammengefasst. Zahlreiche Anregungen und weitere Künstler finden sich auch im Internet unter den Stichworten „Gesichter in Gegenständen" oder „Dinge mit Gesicht".

Unterrichtsplanung

Gemeinsames Betrachten des Bildausschnittes auf S. 25.

L: Was kannst du erkennen?

Die Schüler äußern sich spontan (evtl. Hilfsimpuls: Du findest so etwas in einem Mäppchen.)

Die Schüler nennen die Lösung („Spitzer").

L: Warum haben wir das nicht auf den ersten Blick erkannt?

Es folgt ein gemeinsames Gespräch darüber, dass es sich hier um einen Bildausschnitt handelt.

L: Einige von euch wissen bestimmt, wie/mit welcher Technik dieses Bild gemacht wurde.

Die Schüler stellen fest, dass es sich um eine Fotografie handelt.

Vorerfahrungen zur Technik abfragen:

- Hast du auch schon einmal etwas fotografiert?
- Womit hast du fotografiert? (Fotokamera, Smartphone, Tablet ...)
- Wann fotografierst du?

Als Einstieg in die Thematik „Fotografie" ist es auch möglich, die Kinder Fotos mitbringen zu lassen, die sie selbst gemacht haben.

Mit der Fotokamera
Kommentar zu Seite 26

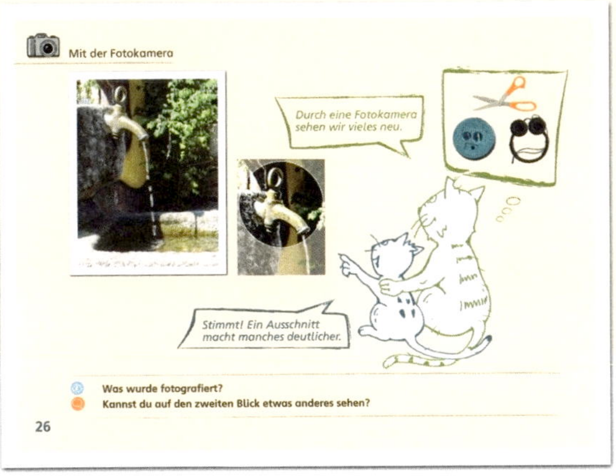

Material
- verschiedene Beispiele für Gesichter in Gegenständen, z. B. aus dem Internet

Unterrichtsplanung

Einstieg

Im Anschluss an das Fotorätsel von S. 25 betrachten die Kinder die Abbildungen auf S. 26.
L: Hier siehst du noch andere Fotorätsel.

Unterrichtsablauf

Gemeinsames Betrachen des Wasserhahns auf der Schülerbuchseite.
Die Schüler äußern sich, was sie auf den ersten Blick sehen:
- einen Brunnen mit Wasserhahn

L: Sieh dir den Ausschnitt genauer an. Kannst du auf den zweiten Blick etwas anderes entdecken?
Die Schüler sagen, was sie auf den zweiten Blick erkennen:
- Rüsseltier, Nasenbär, Kopf mit Auge und Rüssel …

Die Lehrkraft nimmt Bezug auf die Sprechblase.
L: Durch eine Fotokamera sehen wir vieles neu.
Die Schüler erklären.
Fokus auf die anderen Abbildungen legen.
L: Dem großen Kater fallen noch andere Dinge ein. Sieh dir die Bilder in der Sprechblase an.
AA Was wurde fotografiert? Kannst du auf den zweiten Blick etwas anderes sehen?
Die Schüler beschreiben die Gegenstände und was sie auf den zweiten Blick darin sehen:
- Dosenspitzer = Gesicht
- Kopfhörer = Frosch
- Schere = Vogel

Vertiefung:
L: Gibt es noch andere Dinge in denen du auf den zweiten Blick etwas anderes gesehen hast?
- Tiere in Wolken …

L: Im Internet findet man viele Beispiele für solche Fotografien.
Gemeinsam betrachten.

Abschluss

Ausblick auf Gestaltung:
L: Wir wollen sehen, ob wir bei uns auch solche Gegenstände finden und fotografieren können. Dazu müssen wir uns aber zuerst ansehen, wie man Fotos mit einer Kamera macht.
Ausgewählte Schüler eine Kamera für die nächste Stunde mitbringen lassen oder die Schulkamera für die nächste Stunde reservieren.

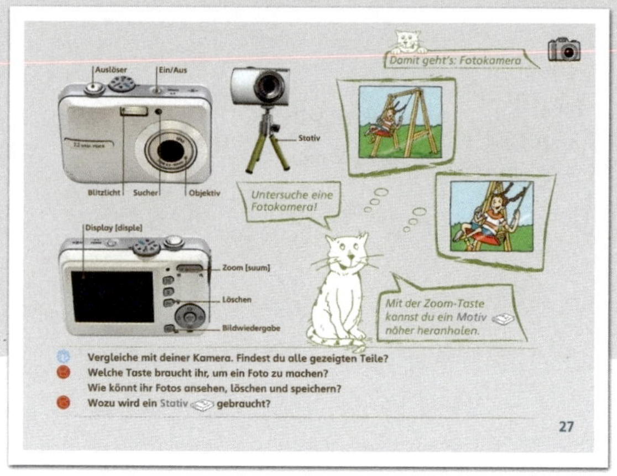

Material
- Schulkamera
- evtl. Kamera einzelner Schüler
- KV 15–17

Unterrichtsplanung

Einstieg

Präsentation der Kamera im Sitzkreis:
Die Kinder äußern ihr Vorwissen dazu. (Wenn möglich, werden in Kleingruppen mehrere Kameras näher betrachtet und die Schüler tauschen sich darüber aus, wie die verschiedenen „Knöpfe" heißen und wofür sie gebraucht werden.)

Unterrichtsablauf

Die Kinder vergleichen nach dem ersten Erfahrungsaustausch die echte Kamera mit der Abbildung im Schülerbuch.
L: Auch unsere Kater arbeiten mit der Fotokamera. Wie die aussieht, kannst du in deinem Buch sehen.
Sitzkreis auflösen.
Bearbeiten der AA:
Vergleiche die Kamera im Buch mit deiner Kamera: Findest du alle gezeigten Teile?
Die Schüler äußern sich.
L: Tausche dich in der Gruppe aus:
- Welche Taste braucht ihr, um ein Foto zu machen?
- Wie könnt ihr Fotos ansehen, löschen und speichern?
- Wozu wird ein Stativ gebraucht.

Evaluation der Ergebnisse:
Die Lehrkraft bereitet das Tafelbild vor: Kamera als Kopiervorlage (KV 15–17)
Gemeinsam werden die einzelnen Teile der Kamera benannt; L schreibt die Fachbegriffe dazu.
Im gemeinsamen L-S-Gespräch wird sich darüber ausgetauscht, welche Funktionen diese genannten Teile der Kamera haben.

Blick ins Buch:
L: Schaut euch das Mädchen auf der Schaukel an. Beschreibt den Unterschied.

Klärung des Begriffs Zoom und wo die Zoom-Taste an der Kamera zu finden ist (evtl. ausprobieren mit einem Motiv im Klassenzimmer oder auf dem Schulgelände).

Abschluss

L: Es gibt noch viel zu entdecken. Nächste Stunde wollen wir die Kamera ausprobieren.

So geht's: Fotografieren

Kommentar zu Seite 28

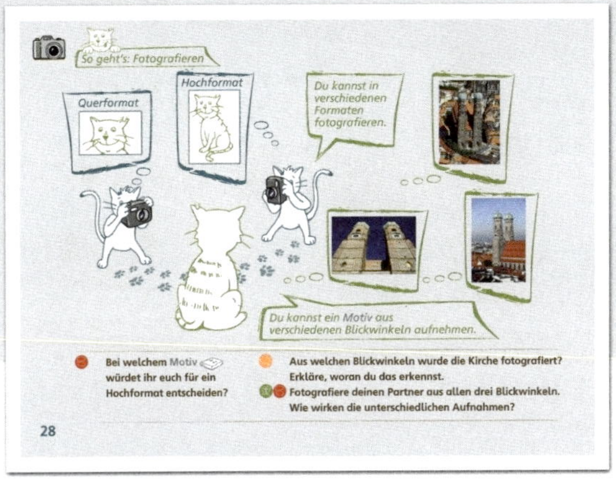

Material
- Fotokamera
- Medien (z. B. Whiteboard, Beamer, Bilderkarten zur Präsentation eines Motives in verschiedenen Blickwinkeln)
- KV 18–21

Unterrichtsplanung

Einstieg

Präsentation an der TafeL: Erarbeitung des Hoch- und Querformats.
Die Lehrkraft hängt die Kopiervorlage (Hoch- und Querformat, KV 18–20) an die Tafel.
L: Der kleine Kater hat den großen fotografiert. Kannst du mir den Unterschied zwischen beiden Fotos erklären?

Unterrichtsablauf

Die Schüler beschreiben den Unterschied. Die Begriffe Hoch- und Querformat werden eingeführt.
Die Lehrkraft verweist auf die unterschiedliche Handhabung (hochkant und quer) der Kamera beim Fotografieren.
Bezug auf AA 1:
L: Bei welchem Motiv würdet ihr euch für ein Hochformat entscheiden?
Freie Schüleräußerungen.
Gruppenarbeit: Die Kinder erhalten einen Umschlag mit ausgeschnittenen Motiven (aus dem Internet geeignete Bilder heraussuchen, die eindeutig passen, z. B. Baum/Turm als Hochformat, Krokodil als Querformat), (KV 18-20).
Die Schüler probieren das Fotografieren mit Rahmen aus (KV 21 = Rahmen/Vorlage).
Museumsrundgang mit Betrachtung der Ergebnisse und Begründung der Auswahl:
L: Findet ihr hier in der Schule ein Beispiel das gut zu Quer- oder Hochformat passt.
L: Gehe nun mit dem Bilderrahmen los und suche dir ein Motiv aus, das du fotografieren möchtest. Entscheide dich je nach Motiv dafür, ob du ein Hoch- oder ein Querformat wählen würdest.
Die Schüler suchen ein Motiv. Zusammenfassung der Ergebnisse im Kreisgepräch.

Bezug auf AA 2: Gemeinsame Betrachtung der Abbildungen im Buch.
L: Du sieht auf allen drei Fotos die gleiche Kirche. Dennoch sehen alle Fotos anders aus.
Die Schüler äußern sich dazu. Begriff des Blickwinkels (= Standort des Betrachters) wird geklärt.

L: Fotografiere nun deinen Partner aus diesen drei Blinkwinkeln. Was stellst du fest? Finde einen passenden Namen für die Blickwinkel!
Die Schüler fotografieren sich gegenseitig in Partner- oder Gruppenarbeit, die Kamera wird dabei weitergegeben.

Abschluss

Evaluation der Ergebnisse:
Die Kinder betrachten die Fotos, beschreiben die Wirkung und überlegen sich Namen für die Ansicht (z. B. Froschperspektive, Vogelperspektive, Menschperspektive, Abb. links: von unten nach oben = Froschperspektive; Abb. rechts oben: von oben nach unten = Vogelperspektive; Abb. rechts unten: gerade Ansicht = Menschperspektive).

Nun bist du an der Reihe! – Fotografieren

Kommentar zu Seite 29

Material
- Fotokamera, am besten für jede Schülergruppe (mitbringen lassen)
- Computer mit Drucker oder Beamer oder Smartboard
- KV 22, 23

Unterrichtsplanung

Einstieg

Gemeinsam die Abbildung auf S. 29 betrachten. Die Schüler beschreiben, welche Motive die Kinder aussuchen und begründen ihre Meinung.

L: Du bist nun selbst als Fotograf unterwegs. Finde ein interessantes Motiv. Vielleicht entdeckst du auch etwas, das man erst auf den zweiten Blick erkennt?

Unterrichtsablauf

AA 1: Fotografiere, was du in deiner Schule interessant findest.
Die Schüler dürfen nun selbstständig mit den bisherigen Erkenntnissen über das Fotografieren auf Motivsuche und Entdeckungstour gehen.
Dabei fotografieren sie entweder Motive aus ungewöhnlicher oder passender Perspektive oder suchen Motive, in denen man auf den zweiten Blick noch etwas anderes erkennt.
Anschließend stellen sie ihre Fotos mithilfe des Beamers/Smartboards der Klasse vor.

AA 2: Erkläre den anderen Kindern, warum du das Motiv ausgesucht hast.
Es werden gemeinsam Kriterien und Merkmale besprochen:
- Du hast dich bei der Säule für ein Hochformat entschieden. Das finde ich richtig.
- Der Baum wirkt aus der Froschperspektive noch viel größer. Deshalb finde ich dein Foto sehr interessant.

AA 3: Erkennst du auf den Fotos auch etwas auf den zweiten Blick?

Abschluss

Es wird gemeinsam eine Fotoaustellung geplant (KV 23).
Alle Schüler entscheiden sich für 1-2 ihrer Fotos und überlegen, wie sie diese präsentieren möchten.
Eltern werden zur Fotoaustellung eingeladen, die Schüler führen durch die Ausstellung.

Fotocollagen

Kommentar zu Seite 30

Material
- Fotokamera
- Computer mit Drucker oder Beamer oder Smartboard
- farbiges Tonpapier

Unterrichtsplanung

Einstieg

Gemeinsam die Abbildung auf S. 30 betrachten.
Die Schüler beschreiben, was sie sehen.
AA 1: Was haben die Türen gemeinsam? Worin unterscheiden sie sich?

Unterrichtsablauf

Anschließend folgt ein gelenktes L-S-Gespräch.
L: Der Fotograf hätte doch auch nur eine Tür fotografieren können.
Die Schüler äußern sich dazu, z. B.:
- Eine allein könnte langweilig aussehen!
- Weil mehrere Türen da sind, wird das Foto interessant.

Gemeinsam wird festgestellt, dass die besondere Bildwirkung erst durch die Reihung gleicher, aber doch unterschiedlicher Gegenstände ensteht.
L: Was meinst du: Wie hat der Künstler so viele Türen auf ein Foto bekommen?
Es folgt ein zusammenfassendes Gespräch mit Klärung des Begriffs „Collage“.

AA 2 : Gestaltungsaufgabe
Die Kinder dürfen nun auch gleiche Gegenstände im Schulhaus oder im Klassenzimmer suchen, die aber auch unterschiedlich sind (z. B. unterschiedliche Türgriffe, Bodenbeläge, Decken, Stühle, Schultaschen, T-Shirts …).
Die Fotos werden ausgedruckt oder am PC als Collage zusammengestellt.
Die Kinder gestalten auf farbigem Tonpapier eine Fotocollage von ihrem Gegenstand.

Abschluss

Gemeinsames Betrachten der Ergebnisse und Reflektieren im Museumsrundgang.
Weiterführende Aufgaben:
Eine Rätselfotosafari für die anderen Kinder der Schule gestalten, z. B. zum Thema „Wo findest du das?“ oder „Alles ist rot an unserer Schule.“

Rätselspaß mit Fotos

Kommentar zu Seite 31

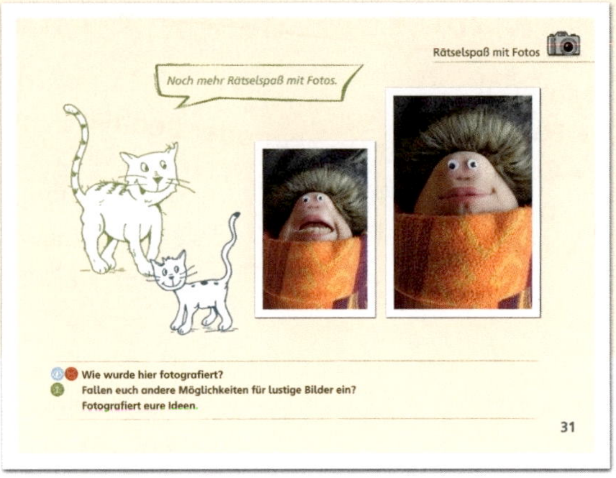

Material
- Fotokamera
- Computer mit Drucker oder Beamer oder Smartboard
- farbiges Tonpapier

Unterrichtsplanung

Einstieg

Gemeinsam die Abbildung auf S. 31 betrachten.
AA 1: Wie wurde hier fotografiert?

Unterrichtsablauf

Die Kinder vermuten, was fotografiert wurde.
Lösung: Kinngesichter
Kopfüber betrachtet erkennt man die untere Gesichtshälfte einer Person; die Haare sind der Kragen einer Jacke; die Wackelaugen sind mit Creme am Kinn angeklebt.
Zur Verdeutlichung der Technik: Die Schüler stellen nach, wie fotografiert wurde. Dazu liegt ein Kind auf dem Boden. Über die Augen wird ein Tuch gelegt. Die anderen Kinder dürfen das „verkehrte" Motiv ansehen.
Tipp: Man kann hier gut mit Mimik spielen, z. B. lachender Mund, Mundwinkel nach unten, Kussmund oder „O".
Es folgt ein gemeinsamer Austausch von weiteren Ideen.

AA 2: Gestaltungsaufgabe
L: Fotografiert eure Ideen!
Die Schüler fotografieren selbstständig allein, mit Partner oder in der Gruppe.

Abschluss

Die Schüler stellen ihre lustigsten Ergebnisse in einer Kreisrunde vor.

Jetzt weiß ich schon viel mehr! – Fotografieren

Kommentar zu Seite 32

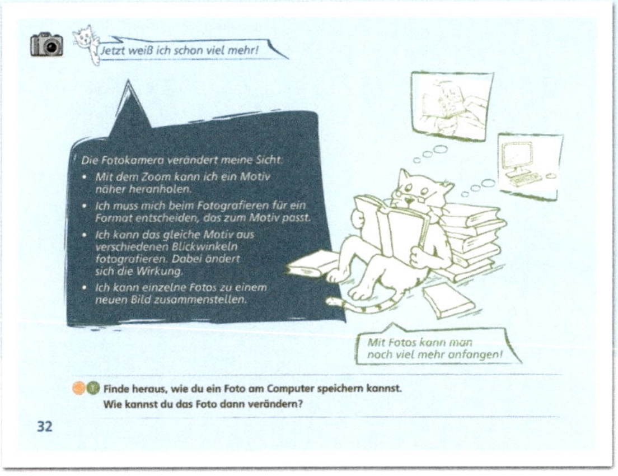
Jetzt weiß ich schon viel mehr!

Die Fotokamera verändert meine Sicht:
- Mit dem Zoom kann ich ein Motiv näher heranholen.
- Ich muss mich beim Fotografieren für ein Format entscheiden, das zum Motiv passt.
- Ich kann das gleiche Motiv aus verschiedenen Blickwinkeln fotografieren. Dabei ändert sich die Wirkung.
- Ich kann einzelne Fotos zu einem neuen Bild zusammenstellen.

Mit Fotos kann man noch viel mehr anfangen!

Finde heraus, wie du ein Foto am Computer speichern kannst. Wie kannst du das Foto dann verändern?

32

Material
- Schülerbuch
- KV Reflexionskarte „Künstlertreff“
- Fotokamera
- KV 24–28
- Computer, ggf. Kartenleser

Unterrichtsplanung

Einstieg

Kinder und Lehrkraft treffen sich zum Künstlertreff im Kreis.
Auf einem Bodentuch liegt die Karte „Künstlertreff“ (KV Reflexionskarte), das Schülerbuch und eine Fotokamera.
L: Du kennst dich jetzt gut mit der Fotokamera aus.

Die Schüler benennen nochmals Teile der Kamera.
Die Lehrkraft legt Kärtchen mit entsprechenden Fachbegriffen dazu.
Sie wiederholen ihre Erkenntnisse über die Funktionen beim Fotografieren und Speichern:
- Mit dem Zoom kann ich ein Motiv näher heranholen.
- Ein Stativ verwende ich, wenn …

Künstlertreff

Nachdem die Kinder die Kamera beschrieben haben, werden die erarbeiteten Fachbegriffe in die Wortschatzkiste gelegt.
Gemeinsam werden nun die Begriffe Blickwinkel, Hoch- und Querformat und Collage wiederholt und ebenfalls in die Wortschatzkiste gelegt.
Die Schüler wiederholen:
- Ich muss mich für ein passendes Format entscheiden.
- Ich kann aus verschiedenen Blickwinkeln fotografieren.
- Die Bildwirkung ist je nach Blickwinkel anders.
- Ich kann Fotos zu einer Collage zusammenstellen.

Ausblick

Die Kinder äußern reihum, warum das Fotografieren wohl zum Fach Kunst gehört und was ihnen daran gefällt.
Bezug auf Sprechblase vom Kater: Mit Fotos kann man noch viel mehr anfangen.
L: An was denkt der Kater dabei?
Bearbeiten von AA auf S. 32:
Finde heraus, wie du ein Foto am Computer speichern kannst.
Wie kannst du das Foto dann verändern?

Gestaltete Umwelt

Kommentar zu den Seiten 33 – 38

Material
- Schülerbuch
- ggf. Kaugummistreifen
- Fühlsäckchen

Sequenzübersicht

Gestaltete Umwelt

- **Stabile Gebäude**
- **Wem gelingt das stabilste Bauwerk?**
- **Dinge aus der Natur: Ordne neu und staune**
- **Mein besonderes Legebild**

Sachinformation

Architektur und Design sind zwei Themengebiete aus dem Bereich der Bildenden Kunst, die nahezu überall unmittelbar erfahrbar sind. Der Lernbereich Gestaltete Umwelt greift inhaltliche Aspekte von Architektur und Design auf und macht sie für Kinder erlebbar. Im ersten Jahrgang liegt der Fokus im Bereich Architektur auf verschiedenen Bauwerken und ihrer Stabilität. Um es mit dem deutschen Architekten Mies van der Rohe zu sagen: „Architektur beginnt dort, wo zwei Steine sorgfältig übereinandergelegt werden." Die Kinder gewinnen im eigenen Gestalten Erkenntnisse über die Stabilität von Gebäuden.

Im Bereich Design ist in diesem Kapitel das Material an sich entscheidend. Sammeln, Tauschen, Ordnen und Anordnen gehört zu den Grundleidenschaften vieler Kinder. Dabei ist nicht entscheidend, ob es sich dabei um Materialien aus der eigenen Umgebung, Mitbringsel aus dem Urlaub oder Alltagsgegenstände handelt. Mithilfe der Beispiele aus der Bildenden Kunst erweitern die Kinder ihren Blick auf die alltäglichen Gegenstände und reflektieren neue Möglichkeiten der Präsentation.

Informationen zum Kunstwerk

Kunstwerk	Künstler – Kunstepoche	Wissenswertes
„Le Trésor de Mexico", 2012, Installation mit Kaugummistreifen, variierende Größe je nach Verfallszustand: 350 × 500 × 450 cm	Jérémy Laffon (* 1978, lebt und arbeitet in Marseille)	Jérémy Laffon verwendet in seinen Arbeiten oft alltägliche Materialien, wie Holzpaletten, Eis, Seife, Tischtennisbälle oder eben Kaugummistreifen, die er auf sehr ungewöhnliche Weise präsentiert. Über 4000 Kaugummistreifen und etwa drei Monate Bauzeit waren nötig, um ein Werk wie dieses herzustellen. Besonders in der Instabilität des Materials lag für Laffon die Herausforderung. Die Kunst war dabei, die Kaugummistreifen möglichst genau und sorgfältig zu stapeln. In „le Trésor de Mexico" soll die Geschichte von General Antonio López nachempfunden werden, der Samen der Sapotefrucht nach New York brachte, einer Frucht, die mexikanische Landarbeiter kauten. Unter Wärmeeinfluss ließ Jeremy Laffon sein Werk gezielt einstürzen und dokumentierte den Verfall. *Siehe dazu auch: http://www.jeremylaffon.com/img/jeremy_laffon_2013_eng.pdf*

Unterrichtsplanung

Ausgangspunkt ist das gemeinsame Betrachten des Kunstwerks von Jérémy Laffon auf S. 33.
Die Kinder äußern sich zunächst spontan, auch zur Sprechblase des großen Katers.
Dann stellen sie erste Vermutungen bezüglich Material, Aufbau oder eventuell Zweck des dargestellten Kunstwerks an z. B.:

- Entwurf einer Stadt, Modell einer Achterbahn …
- Das ist gestapelt, zusammengesteckt, geklebt …
- Das ist aus …

Es entwickelt sich ein gemeinsames Nachdenken über das Bauen mit (oder Stapeln von) verschiedenen Materialien.
Die Kinder bringen ihre Vorerfahrungen ein, z. B.:

- Haus aus Spielkarten oder Bierdeckeln
- Gebäude aus Bauklötzen
- Türme mit Steinen …

Daraus entsteht ein gemeinsames Gespräch über die Statik des Baus auf der Abbildung.
Vermutungen werden diskutiert: Warum fällt das Gebäude nicht in sich zusammen?
Art der Materialverbindung oder Verarbeitung besprechen (geklebt, gesteckt, speziell aufgestellt, verbunden oder unverbunden …).

Auflösung: Bei diesem Gebäude wurden Kaugummistreifen verwendet.
Hier ist es sinnvoll, eine Packung mit Kaugummistreifen, z. B. in einem Fühlsäckchen, zu präsentieren, um das Material für die Kinder erfahrbar zu machen.

Die Schüler betrachten das Bauwerk mit dem Hintergrundwissen noch einmal und begründen, woran man das Material im Bild erkennt.

Bauwerke

Kommentar zu Seite 34

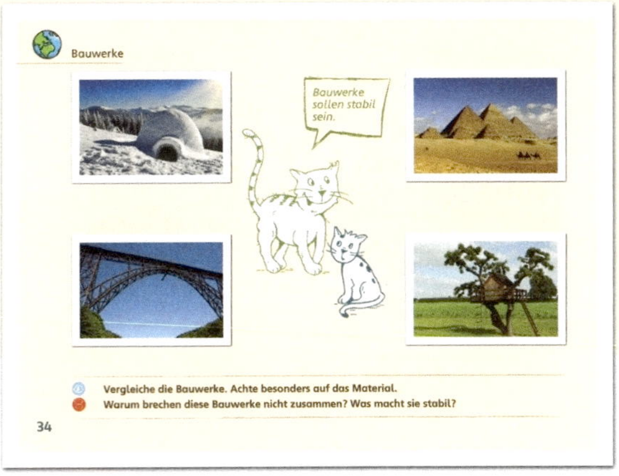

Material
- Fühlkasten mit Elementen aus Holz, Eisen/Stahl, Stein

Unterrichtsplanung

Einstieg

Die Kinder betrachten die Bauwerke auf S. 34 und bringen ihr Vorwissen ein.

Unterrichtsablauf

AA 1: L: Vergleicht die Bauwerke miteinander, aus welchem Material sind sie? Wofür wurden sie gebaut?
Die Schüler tauschen sich mit einem Partner im Murmelgespräch aus.

Die Lehrkraft stellt exemplarisch einige Materialien vor (Stein, Eisen, Holz in einem Fühlkasten).
Die Schüler ertasten und benennen das Material.
L: Das Material ist auch bei den vier Bauwerken im Buch verschieden. Eines war nicht dabei. Warum nicht?

Gemeinsames Sammeln der Ergebnisse, z. B.:
- Die Brücke ist aus Eisen, Stahl, Metall …
- Wenn ich ein Iglu baue, muss es kalt sein.
- Die Pyramiden waren Gräber.
- Das sieht aus wie eine Eisenbahnbrücke.
- Ein Baumhaus ist meistens für Kinder.

Bezug zur Bauweise herstellen:
AA 2: Warum brechen diese Bauwerke nicht zusammen? Was macht sie stabil?
Die Schüler sammeln in der Gruppe Gründe.
Gemeinsames Gespräch im Plenum mit Bezug auf eigene „Bauerfahrungen" (Lego, Stapelspiel „Jenga", eigenes Iglu oder Baumhaus …)

Abschluss

Ausblick auf die Gestaltungsstunde auf S. 35 geben.
L: Sieh dir die Kinder auf der nächsten Seiten an.
Du weißt nun bestimmt, was unser nächstes Thema ist.
Die Schüler äußern sich.
L: Wem gelingt das stabilste Bauwerk? Wir wollen einen Wettbewerb veranstalten.

Eventuell hier schon die Kinder überlegen lassen, mit welchem Material sie arbeiten wollen und ggf. dieses zur nächsten Stunde mitbringen lassen.

Nun bist du an der Reihe! – Mein Bauwerk

Kommentar zu Seite 35

Material
- verschiedenes Material zum Bauen
- Skizzenbuch (KV 6)
- Material zum Verbinden (ggf. Heißkleber, Draht, verschiedene Werkzeuge …)

Unterrichtsplanung

Einstieg

Die verschiedenen Arbeits- und Baumaterialien werden auf einem Materialtisch bereitgestellt.
Gemeinsam wird zuächst das Material und der Arbeitsrahmen bespochen: Brauche ich eine Unterlage, zusätzliches Werkzeug? Mit wem arbeite ich? Erste Ideen werden genannt.
L: Denke daran, dass dein Bauwerk möglichst stabil sein soll.

Unterrichtsablauf

Umsetzung des Themas als Gruppenarbeit mit Werkstattcharakter.
Die Schüler einer Gruppe einigen sich auf ein gemeinsames Bauwerk und sammeln Ideen, ob sie evtl. ein zweckgebundenes Gebäude erstellen (eine Brücke für den Hamsterkäfig, ein Haus für mein Kuscheltier …).

Explorationsphase:
Entwurfssammelung: Jeder Schüler macht sich in seinem Skizzenbuch (KV 6) Gedanken zu seinem Bauwerk und dessen möglichst stabilen Aufbau.
In der Gruppe wird entschieden, welcher der Vorschläge gemeinsam umgesetzt werden soll.
Die Schüler sammeln Ideen zum Aufbau und zu den Verbindungsmöglichkeiten.

Gestaltungsphase:
Die Kinder erproben geeignete Materialien und setzen ihre Idee um, dabei dokumentieren sie im Skizzenbuch ggf. einzelne Arbeitsschritte.

Evaluierung der Ergebnisse:
Museumsrundgang: Alle Schüler betrachten während eines Museumsrundgangs die Bauwerke der anderen Kinder mit besonderem Blick auf die Stabilität.
Die Schüler äußern sich zu den jeweiligen Bauwerken und stellen Fragen an die Bauingenieure. Diese erläutern für alle ihre Bauschritte ggf. mithilfe des Skizzenbuchs.

Gemeinsam werden wichtige Erkenntnisse bezüglich Stabilität und Statik bei Bauwerken zusammengefasst.

Abschluss

Weiterführende Ideen:
L: Achtet auf ungewöhnliche Bauwerke in unserer Gegend und überlegt euch, wie diese wohl gebaut sein könnten.
L: Wir bauen Türme.

Neu ordnen

Kommentar zu Seite 36

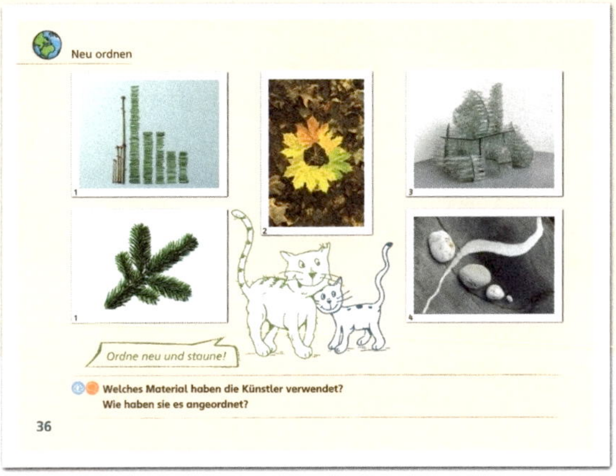

Unterrichtsplanung

Einstieg

L: Man kann Material nicht nur zum Bauen verwenden.
Gemeinsames Betrachten von S. 36.

Unterrichtsablauf

Die Lehrkraft stellt die Arbeiten der verschieden Künstler (z. B. Andy Goldsworthy „land Art“, Ursus Wehrli „Kunst aufräumen“ und Tony Cragg „Objektkunst“) vor.

Die Kinder stellen fest, dass diese Künstler Materialien aus der unmittelbaren Umgebung verwendet haben.
Daraus entwickelt sich ein Gespräch über die besondere Art der Verwendung.
Impuls: Ein Tannenzweig mal ganz anders!

Die Schüler gelangen zur Erkenntnis, dass der Reiz dieser Kunstwerke in der Art der Anordung liegt.

Abschluss

Überleitung zur Gestaltungeinheit:
Die Schüler überlegen, welches Material sie neu anordnen könnten. (Was gibt es bei uns in der Nähe? Was ist leicht zu beschaffen?) Sie sammeln dieses vorbereitend für die praktische Umsetzung.

Nun bist du an der Reihe! – Mein besonderes Legebild

Kommentar zu Seite 37

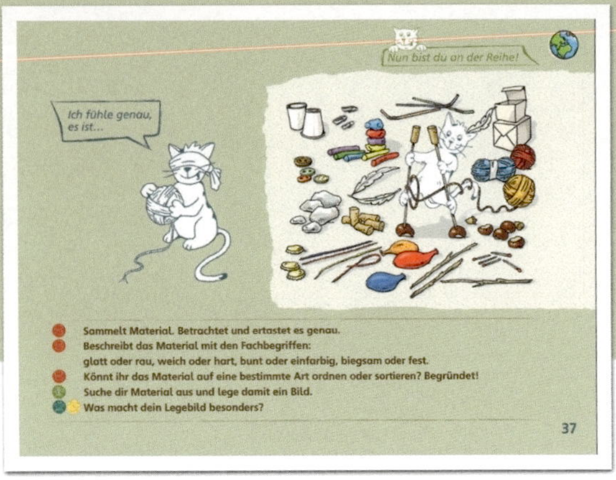

Material
- von L und S zusammengestellte Auswahl an Materialien
- KV 29, 30
- Unterlagen für Legebild (z. B. farbiges Tonpapier, Kartons, Stoff, Korkplatten, Moos …)
- Fotokamera

Unterrichtsplanung

Einstieg

Die verschiedenen Materialien werden auf einem Materialtisch bereitgestellt – dabei auf möglichst unterschiedliche und vielfältige Haptik und Optik des dargebotenen Materials achten.

Unterrichtsablauf

Umsetzung des Themas als Arbeit mit Werkstattcharakter.
Explorationsphase:
Die Kinder erfassen die verschiedenen Materialien mit allen Sinnen und verbalisieren ihre Eindrücke.
Verbalisierungshilfen (KV 29, 30)
- … fühlt sich an wie …
- … erinnert mich an …

Es folgt die Einführung der Fachbegriffe für Materialeigenschaften:
glatt – rau, bunt – einfarbig, weich – hart
Entsprechende Wortkarten liegen bereit.
AA 1: Die Schüler versuchen das Material nach eigenen Kriterien zu sortieren, z. B.:
- nur Rotes, nur Glattes …

und begründen ihre Ordnung.
Gestaltungsphase AA 2:
L: Du hast das Material ausgiebig erforscht. Überlege nun, wie du dein besonderes Legebild gestalten willst. Suche dir passendes Material aus und lege damit ein Bild. Entscheide dich für einen passenden Untergrund – ggf. auch im Außenbereich.
Tipp: Dokumentation der Ergebnisse mit der Fotokamera.

Abschluss

Schüler finden eine geeignete Präsentationsform für ihr Legebild.
AA 3: Was macht dein Legebild besonders?
Evaluation der Ergebnisse im Museumsrundgang:
L: Lege einen Muggelstein zu dem Legebild, das dir am besten gefällt.
Verbalisierungshilfen:
- Mein Legebild macht besonders …
- Mir gefällt an diesem Legebild …
- Ich habe mich für dieses entschieden, weil …

Jetzt weiß ich schon viel mehr! – Bauen und Ordnen

Kommentar zu Seite 38

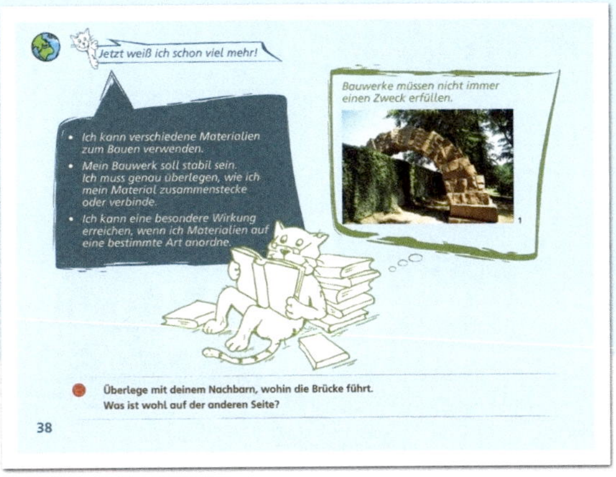

Material
- Schülerbuch
- KV Reflexionskarte „Künstlertreff"
- KV 31 – 33

Unterrichtsplanung

Einstieg

Kinder und Lehrkraft treffen sich zum Künstlertreff im Kreis.
Auf einem Bodentuch liegt die Karte „Künstlertreff" (KV Reflexionskarte), ausgewähltes Baumaterial und einige Beispiele aus der praktischen Arbeit.
Die Schüler äußern sich dazu.

Künstlertreff

Die Lehrkraft legt Kärtchen mit den Begriffen „stabil" und „besondere Wirkung" in den Kreis (KV 31 - 33).

Die Kinder fassen die im praktischen Arbeiten erworbenen Kenntnisse noch einmal zusammen:
- Ich kann verschiedenes Material zum Bauen verwenden.
- Wenn mein Bauwerk stabil sein soll, muss ich beachten …
- Wenn ich es auf eine besondere Weise anordne, ist die Wirkung …

L: Für unsere Wortschatzkiste haben wir wieder einige Begriffe dazugelernt!

Die Schüler wiederholen die Begriffe:
- glatt – rau
- bunt – einfarbig
- weich – hart

Sie legen die entsprechenden Wortkarten in die Wortschatzkiste.

Ausblick

Gemeinsam wird die Abbildung auf S. 38 betrachtet (Brücke von Andy Goldsworthy).
Bezug zum großen Kater herstellen:
Bauwerke müssen nicht immer einen Zweck erfüllen.
Die Schüler äußern sich dazu.
AA: Überlege mit deinem Nachbarn, wohin die Brücke führt.
Was ist wohl auf der anderen Seite?
Besprechen des AA. Die Schüler erfinden Geschichten dazu (Querverbindung zum Fach Deutsch).

Fantasiewelten

Kommentar zu den Seiten 39 – 44

Sequenzübersicht

Woran erkennst du ein Märchen?

Erkennst du mein Märchen?

Fantasie-welten

Komm mit in die Fantasiewelt

In meinem Land der Fantasie

Sachinformation

Wie schon im Bereich Erfahrungswelten erwähnt, teilen sich Kinder spontan und direkt durch ihre Bilder und Zeichnungen mit. Das Themengebiet Fantasiewelten nutzt die natürliche Imaginationsfähigkeit der Kinder und gibt ihnen den nötigen Rahmen, innere Bilder zu aktivieren und die eigene Kreativität vielfältig auszuleben. Wichtig ist hierbei, ein möglichst breites Spektrum an Techniken vorzustellen, auf das die Kinder bei ihrer Gestaltung zurückgreifen können. Im vorliegenden Kapitel erfolgt das Aktivieren der inneren Vorstellung zum einen über eine Geschichte (hier ein Märchen) und zum anderen über das Eintauchen in eine fantastische Bilderwelt. Die Kinder greifen dabei auf eigene Erfahrungen und Bekanntes zurück, nehmen aber auch Anregungen anderer Kinder auf und setzen ihre Ideen in selbstgewählten Gestaltungstechniken um.

Informationen zum Kunstwerk

Kunstwerk	Künstler – Kunstepoche	Wissenswertes
„Diebsturm" mit Rapunzelzopf, Lindau am Bodensee		Der „Diebsturm" wurde 1380 auf der Insel Lindau errichtet und diente früher als Gefängnis, woraus sich auch sein Name ableitet. Er war aber auch der westlichste Punkt der früheren Stadtmauer und wurde als Wachturm genutzt.
„The older Rapunzel", 2008, Radierung und Aquatinta, 220 × 245 mm, Brüder Grimm Haus, Steinau	David Hockney (*1937 in Bradford, West Yorkshire, England)	David Hockney beschloss schon mit elf Jahren Künstler zu werden. Zu seinen wichtigsten grafischen Arbeiten zählt der 39 Radierungen umfassende Zyklus „Six Fairy Tales from the Brothers Grimm", der 1969 entstanden ist. Hockney wählte in seinen Radierungen keine einfachen motivischen Umsetzungen der literarischen Vorgabe; er wollte vielmehr bestimmte Details betonen oder eine bestimmte Stimmung im Text hervorheben.

Unterrichtsplanung

Gemeinsames Betrachten der Auftaktseite S. 39 in Verbindung mit den Abbildungen auf S. 40.

Die Schüler stellen anhand der drei Bilder fest, dass es sich um das Märchen Rapunzel handelt und begründen dies mit dem sichtbaren Zopf.
AA 1 von S. 40: Wie heißt das Märchen, von dem die Bilder erzählen?
Woran hast du das Märchen erkannt?
AA 2: Erzählt euch das Märchen.

Achtung:
Da nicht vorausgesetzt werden kann, dass alle Kinder mit dem Inhalt des Märchens vertraut sind, wird es noch einmal vorgelesen oder nacherzählt, andernfalls erzählen die Kinder es sich gegenseitig in Gruppen.
Hörauftrag:
L: Eine Stelle ist ganz typisch für dieses Märchen. Höre genau zu, damit du sie mir später nennen kannst.

Bilder erzählen

Kommentar zu Seite 40

Bilder erzählen

1

2

Jedes Märchen hat eine Besonderheit.

Oft reicht ein Bild und ich weiß, um welches Märchen es geht.

Wie heißt das Märchen, von dem die Bilder erzählen? Woran hast du das Märchen erkannt?

Erzählt euch das Märchen.

Ihr kennt noch andere Märchen. Stellt sie euch als Bild vor. Was wäre darauf zu sehen?

40

Material
- Skizzenbuch (KV 6)
- Märchenbücher (vorbereitende Hausaufgabe oder aus der Schulbücherei)

Unterrichtsplanung

Einstieg

Anknüpfen an Auftaktseite S. 39 und Märchenerzählung:
Bezug zu den Sprechblasen der Kater –
jedes Märchen hat eine Besonderheit.
Oft reicht ein Bild und ich weiß, um welches Märchen es geht.

Unterrichtsablauf

L: Welche besondere Stelle kommt nur im Märchen Rapunzel vor?
Die Schüler äußern sich:
- Rapunzel, Rapunzel, lass dein Haar herunter.

Bezug zu den drei Abbildungen auf S. 39 und S. 40.
L: In der Kunst wurde diese besondere Stelle schon oft gemalt, weil sie typisch für das Märchen Rapunzel ist.

Nochmaliges Betrachten der drei verschiedenen Bilder von S. 39/40 und Vergleichen der verschiedenen Darstellungsweisen (Scherenschnitt, Radierung, Fotografie bzw. Aktionskunst).

L: Oft reicht ein Bild und ich weiß, um welches Märchen es geht!
Die Schüler äußern sich dazu.
AA 3:
L: Kennst du noch andere Märchen? Stell sie dir als Bild vor. Was wäre darauf zu sehen?
Die Schüler beschreiben ihr inneres Bild und nennen weitere Beispiele.

Abschluss

L: Sammelt Ideen! Was für ein Bild würdest du zu einem anderen Märchen, das du kennst, malen?
Die Schüler sammeln Ideen im Skizzenbuch (KV 6).

Nun bist du an der Reihe! – Erkennst du mein Märchen?

Kommentar zu Seite 41

Material
- Material zur Umsetzung der Märchenidee
- Skizzenbuch (KV 6)
- Material zur Vorbereitung des Arbeitsplatzes (Unterlage, Kunstkiste, Kittel …)

Unterrichtsplanung

Einstieg

Ausgangspunkt ist das gemeinsame Betrachten der Abbildung auf S. 41.
AA 1: Wie stellen die Kinder das Märchen Rapunzel dar?
Die Schüler äußern sich zu den verschiedenen Umsetzungsformen des Märchens Rapunzel, die auf der Seite abgebildet sind z. B.:
- szenische Umsetzung
- Druck
- plastisches Darstellen

Unterrichtsablauf

Umsetzung des Themas als Gruppenarbeit.

Explorationsphase AA 2:
L: Einigt euch nun in der Gruppe auf ein Märchen. Überlegt, welche typische Stelle des Märchens ihr umsetzen wollt und auf welche Weise.
Die Schüler besprechen sich, machen Notizen und sammeln Ideen.
Tipp: Evtl. muss zur Gestaltung Material vorbereitet oder mitgebracht werden.

Gestaltungsphase AA 3:
Die Schüler einigen sich auf einen ihrer Entwürfe und setzen diesen nun gestalterisch um.

Evaluierung der Ergebnisse in einer Reflexionsrunde:
Die einzelnen Gruppen präsentieren ihre Ergebnisse, dabei vermuten die anderen Kinder jeweils, um welches Märchen es sich handelt und begründen, woran sie das erkannt haben:
- Ich habe das Märchen gut erkannt an …
- Mein Tipp für euch …

Abschluss

Weiterführende Ideen:
Die Kinder präsentieren ihre Ergebnisse anderen Klassen.
Ob sie das Märchen erkennen?

Meine Fantasiewelt

Kommentar zu Seite 42

Material
- Abbildung im Buch
- große Abbildung, z. B. als interaktives Tafelbild mit Beamer
- ergänzendes Material zu Friedensreich Hundertwasser
- Lupe

Informationen zum Kunstwerk

Kunstwerk	Künstler – Kunstepoche	Wissenswertes
„30 Tage Fax", 1994	Friedensreich Hundertwasser (1928 als Friedrich Stowasser in Wien, Österreich – 2000)	30 Faxe, die Friedensreich Hundertwasser vom 1. bis 30. Januar 1992 täglich von Neuseeland nach Wien sandte, bilden den Untergrund dieses Bildes. Friedensreich Hundertwasser hat sie auf grundiertes Papier kopiert, auf einen Leinenuntergrund geklebt und dann übermalt. Die Bildfläche ist überzogen mit Motiven in der ihm eigenen Formensprache: Streifen von Erde, Himmel und Wasser, Spiralen, Kugelbäume, Rundköpfe, verschlungene Straßen und Wasserläufe, Boote, Fahrzeuge und Zwiebeltürme.

Unterrichtsplanung

Einstieg

Ausgangspunkt ist das gemeinsame Betrachten der Abbildung auf S. 42.
Wegen der vielen kleinen Details bietet sich hier eine vergrößerte Darstellung an.
AA 1: Auf dem Gemälde gibt es viel zu entdecken.

Unterrichtsablauf

Die Schüler äußern sich zunächst spontan.
L (Provokation): So sieht es bei mir im Ort auch aus!
Die Kinder stellen fest, dass es sich um eine Fantasielandschaft handelt und begründen ihre Meinung anhand von Beispielen aus dem Bild.
Tipp: Hier bietet sich eine Auseinandersetzung mit der Lebensphilosophie von Hundertwasser sehr gut an.

AA 2: Was entdeckt ihr alles?
Methodentipp: Das Betrachten mit einer Lupe (zu zweit eine Lupe) fokussiert die Kinder auf Kleinigkeiten und regt zum genauen Betrachten an.
Die Schüler äußern sich frei.
AA 2: Gibt es etwas, das dein Partner anders sieht?
In einem Murmelgespräch mit dem Partner tauschen sich die Kinder über das aus, was sie jeweils entdecken.

Zusammenschau am besten mit einer vergrößerten Abbildung.
Die Schüler können dann mithilfe ihrer „Detaillupe" ihre Entdeckungen erläutern.

Abschluss

Meditative Fantasiereise:
L: Wie sieht dein Land der Fantasie aus? Schließe deine Augen und träume dich dorthin.
Stell dir das Land so vor, als wäre es ein Bild, das du gemalt hast.

Die Schüler hören ein Musikstück und dürfen sich ihr eigenes „Traumland" erschaffen.
Ideen können für die Gestaltungseinheit verwendet werden.

Nun bist du an der Reihe! – Meine Fantasiewelt

Kommentar zu Seite 43

Material
- großformatiges Papier oder Tapete als Malgrund
- Material zur Vorbereitung des Arbeitsplatzes (Unterlage, Kunstkiste, Kittel …)

Unterrichtsplanung

Einstieg

L: Letzte Stunde hast du dir bereits in deiner Vorstellung ein Bild gemacht von deinem Fantasieland.
Die Schüler äußern sich zu den verschiedenen Ideen, die sie bereits im Kopf haben und tauschen sich aus.

Die Lehrkraft kann hier noch weiterführende Impulse geben (AA 2):
- Wie sieht es in deinem Fantasieland aus?
- Was gibt es dort?
- Wen würdest du gern dorthin mitnehmen?

Unterrichtsablauf

Umsetzung des Themas als Gruppenarbeit.

L: Auch die Kinder auf dem Bild haben sich ein Fantasieland überlegt.
Die Schüler betrachten die Abbildung auf S. 43 und besprechen sich, machen Notizen und sammeln Ideen.

Tipp: Evtl. muss zur Gestaltung Material vorbereitet oder mitgebracht werden.

Gestaltungsphase AA 3 :
- Gestaltet in der Gruppe eine gemeinsame Fantasiewelt.

Die Schüler einigen sich auf einen ihrer Entwürfe und setzen diesen nun gestalterisch um.

Evaluierung der Ergebnisse in einer Reflexionsrunde:
Die einzelnen Gruppen präsentieren ihre Ergebnisse, dabei äußern die anderen Kinder Ideen, wie sie die Fantasiewelten ihrer Mitschüler nennen würden und begründen diese.

Abschluss

L: Betrachte nochmal alle Fantasiewelten. In welcher würdest du am liebsten leben?

Weiterführende Idee:
„Das Schlaraffenland" von Pieter Bruegel d. Ä. von 1566 betrachten.

Jetzt weiß ich schon viel mehr! – Märchen und Fantasiewelt

Kommentar zu Seite 44

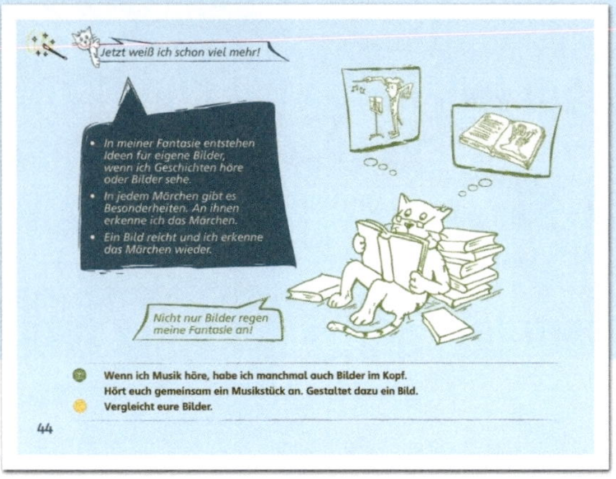
Jetzt weiß ich schon viel mehr!

- In meiner Fantasie entstehen Ideen für eigene Bilder, wenn ich Geschichten höre oder Bilder sehe.
- In jedem Märchen gibt es Besonderheiten. An ihnen erkenne ich das Märchen.
- Ein Bild reicht und ich erkenne das Märchen wieder.

Nicht nur Bilder regen meine Fantasie an!

Wenn ich Musik höre, habe ich manchmal auch Bilder im Kopf.
Hört euch gemeinsam ein Musikstück an. Gestaltet dazu ein Bild.
Vergleicht eure Bilder.

44

Material
- Schülerbuch
- KV Reflexionskarte „Künstlertreff"
- KV 35, 36
- Musik zum „Malen"

Unterrichtsplanung

Einstieg

Kinder und Lehrkraft treffen sich zum Künstlertreff im Kreis.
Die Lehrkraft legt Wortkarten mit Fantasiewörtern (KV 35, 36) auf ein Bodentuch,
z. B. Schlapfkrab, Murksgrüfel, Prustknirps, Brummgurkle, Sonnwand …

Künstlertreff

L: Bilder aus der Welt der Fantasie sind bei jedem anders, es gibt kein richtig oder falsch.
Die Schüler vermuten:
- Für mich ist ein Schlapfkrab ein …
- Unter einem Murksgrüfel verstehe ich …
- Sonnwand heißt für mich …

L: Es gibt viele Dinge, die die Fantasie anregen, du kennst einige.

Die Schüler wiederholen:
- Wenn ich eine Geschichte höre, …
- Wenn ich ein Bild ansehe, …

L: Auch Märchen sind Geschichten, die deine Fantasie angeregt haben. Was war das besondere daran?
Die Schüler fassen zusammen:
- Man kann sie an einer besonderen Stelle erkennen.

Die Lehrkraft nimmt Bezug auf den Kater: Nicht nur Bilder regen meine Fantasie an.
Die Schüler äußern sich zu den Illustrationen.

Ausblick

AA 1: Wenn ich Musik höre, habe ich auch manchmal Bilder im Kopf.
Vergleicht eure Bilder.
Ausblick auf Malen nach Musik geben, siehe auch Fantasiewelten S. 81 ff.
- Hört euch gemeinsam ein Musikstück an. Gestaltet ein Bild dazu.

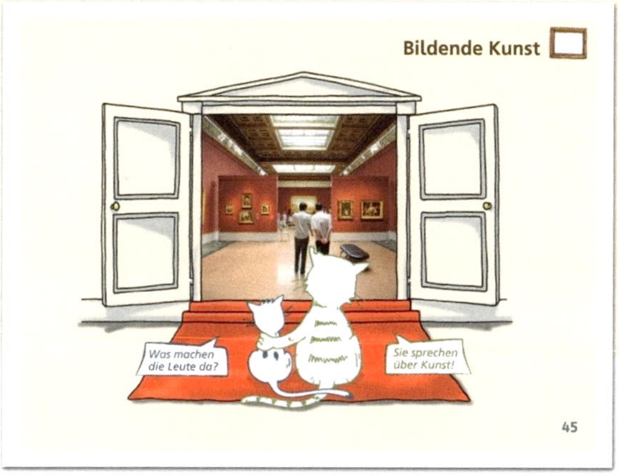

Sequenzübersicht

Bildende Kunst

- **Edvard Munch: „Mädchen auf der Brücke"**
- **Wer ist Edvard Munch?**
- So geht's: Über Kunstwerke sprechen
- Was wäre, wenn..?
- Unser Standbild zu Edvard Munchs Bild
- **Ein rätselhaftes Bild**
- **Wer ist Paul Klee?**

Sachinformation

In unserer von Medien geprägten Welt werden Kinder inzwischen täglich mit einer Vielzahl von verschiedenen Bildeindrücken konfrontiert. Im Internet stehen die unterschiedlichsten Bildbeispiele nahezu unbegrenzt zur Verfügung. Gerade deshalb ist es wichtig, das bewusste, aktive Betrachten und Wahrnehmen von Bildern zu schulen. Im vorliegenden Kapitel setzen sich die Kinder mit Werken aus der Bildenden Kunst auseinander. Sie erhalten einen Leitfaden, Kunstwerke mit Fachbegriffen zu beschreiben, sowie Informationen über die Künstler und ihre Arbeitsweise. Sie nutzen die gewonnenen Erkenntnisse für ihre eigene Gestaltung.

Informationen zur Auftaktseite

Kinder begegnen Kunstwerken in der Regel sehr offen und wesentlich unbefangener als mancher Erwachsene. Die Vorstellungswelt der Kinder ist noch formbar. Gerade zu modernen Kunstwerken haben junge Kinder einen besonderen Zugang und interpretieren sie frei und kreativ. Das Betrachten von Bildern ist ein wesentlicher Bestandteil des Lernbereichs Bildende Kunst.

Die Realbegegnung mit einem Kunstwerk fördert die detaillierte Wahrnehmung, eine noch intensivere Auseinandersetzung mit dem Werk und ein ganzheitliches Lernen im Bereich Kunst.
Auch mit Grundschulkindern empfiehlt es sich deshalb, wenn möglich ein Museum zu besuchen, um die Kunstwerke im Original betrachten zu können.

Unterrichtsplanung

Die Abbildung führt die Kinder in ein Museum.
Die Schüler äußern sich zunächst frei zum Bild.
Die Lehrkraft stellt Bezug zu den Sprechblasen der Kater her:

L: Kunst hat nicht immer nur etwas mit Malen zu tun.

Die Schüler vermuten:
- Wir können auch über Kunst sprechen.
- Berühmte Kunstwerke werden ausgestellt.
- Wir können Kunst ansehen.

Es folgt ein gemeinsames Gespräch über die Vorerfahrungen der Kinder mit Museumsbesuchen, Ausstellungen …
Impulse:
- Was könnten die Personen über die Kunstwerke sagen?
- Ob jeder der Menschen auf dem Bild das Gleiche denkt/sieht?
- Erzählen vielleicht manche Bilder etwas?

Überleitung: Wir wollen auch über ein Kunstwerk sprechen.

Die Mädchen auf der Brücke

Kommentar zu Seite 46

Material
- verschiedene Farbkärtchen
- Schülerbuch
- Musik zur Bildbetrachtung

Unterrichtsplanung

Einstieg

Die Lehrkraft präsentiert das Bild „Vier Mädchen auf der Brücke" von Edvard Munch an der Tafel.
Es geht nun zunächst darum, dass die Kinder einen ersten Eindruck gewinnen und diesen beschreiben. Die Details werden im Weiteren genauer fokussiert.

Unterrichtsablauf

L: Betrachte still das Bild, während die Musik läuft.
- Was fällt dir als erstes ins Auge?
- Was kannst du sonst noch entdecken?
- Achte auch auf die Farben.

Die Lehrkraft macht die Musik aus und klappt die Tafel zu.

Die Schüler äußern ihren ersten Eindruck aus dem Gedächtnis.
Evtl. werden in Gruppenarbeit Farbkärtchen herausgesucht, die aus der Erinnerung der Kinder am häufigsten im Bild vorkommen (später im Tafelbild ergänzen).
Mögliche Antworten:
- Auf dem Bild habe ich vier Mädchen gesehen.
- Es war ein sonniger Tag bzw. der Mond war am Himmel zu sehen.
- Es gab eine Brücke und Häuser im Hintergrund.
- Mir sind die Farben Rot und Blau aufgefallen.

Danach wird wieder mit dem Kunstwerk direkt verglichen. Hierfür bietet sich nun die Betrachtung im Buch an, um anschließend auch auf die Detailbetrachtung der Folgeseite eingehen zu können. Gemeinsam wird herausgearbeitet, dass bei jedem der erste Eindruck unterschiedlich sein kann.

Abschluss

Überleitung zum intensiven Betrachten auf S. 47/48.
L: Wenn ich über Bilder sprechen will, muss ich auf verschiedene Dinge achten.

So geht's: Über Kunstwerke sprechen

Kommentar zu den Seiten 47 – 48

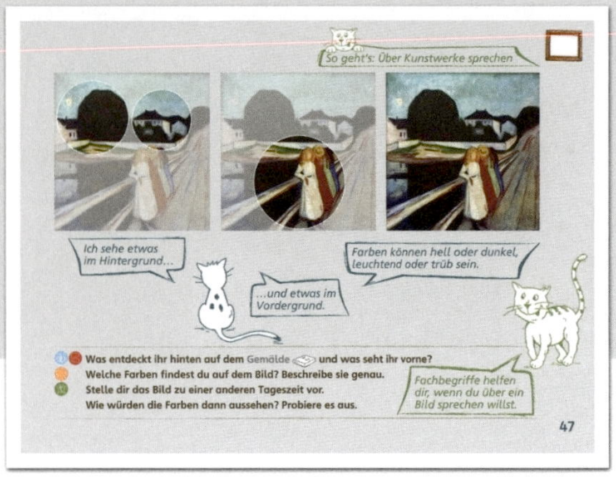

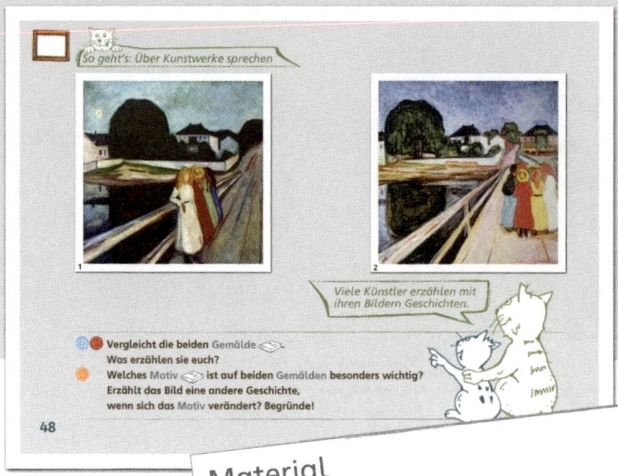

Material
- Schülerbuch
- KV 6
- KV 37 – 39 und 40
- Bildbeispiel von Landschaften bei Tag oder Nacht

Unterrichtsplanung

Einstieg

Betrachten der Detailauschnitte auf S. 47.
Dabei soll ein intensives Betrachten sowie die Nutzung passender Fachbegriffe geschult werden.

- Fachbegriffe: Hintergrund, Vordergrund, mittig
- Farbnamen der Grundfarben, Beschreibungen der Farbnuancen (hell, dunkel, leuchtend, trüb …) (KV 37 – 39)

Unterrichtsablauf

Die Lehrkraft führt in die verschiedenen Ebenen eines Bildes ein und erarbeitet mit den Kindern Hintergrund und Vordergrund.

AA 1: Was entdeckt ihr hinten auf dem Gemälde und was vorn?
Die Schüler beschreiben.
AA 2: Welche Farben findest du? Beschreibe sie genau.
Danach wird nochmals mithilfe der Sprechblase des kleinen Katers Bezug auf Farben genommen; dabei wird die genaue Beschreibung der Farbtöne eingefordert (z. B. helles Rot, trübes Blau, leuchtendes …).
L: Farben können hell oder dunkel, leuchtend oder trüb sein. Was meint der kleine Kater damit?
Die Schüler äußern sich.

Gestaltungsaufgabe:
Die Schüler vermuten zunächst, welche Tageszeit im Bild dargestellt ist. (Da dies im Bild nicht eindeutig ist, lassen sich Argumente für Tag und Nacht finden.)
AA 3:
L: Stelle dir das Bild zu einer anderen Tageszeit vor. Wie würden die Farben dann aussehen? Probiere aus!
Die Lehrkraft stellt den Kindern eine s/w-Kopie des Gemäldes zu Verfügung (KV 40).
Die Schüler kleben die Vorlage in das Skizzenbuch (KV 6) und colorieren sie.
Anschließend wird in einer gemeinsamen Reflexion Bezug auf die Farbgebung unter Verwendung der erlernten Fachbegriffe genommen.

Überleitung:
Bild auf S. 46 noch einmal betrachten als Übergang zur inhaltlichen Bildebene.
L: Stelle dir vor, das Bild erzählt dir eine Geschichte. Welche wäre das?
Die Schüler erzählen sich gegenseitig im Murmelgespräch ihre Geschichte zum Bild.

Anregungen:
- Wer sind die Mädchen?
- Wo wollen sie hin?
- Wo kommen sie her? Kennen sie sich? Sind es Freundinnen?
- Sieh dir die Kleidung genau an. Ist es ein Bild aus der heutigen Zeit?

Überleitung zum Bildvergleich auf S. 48:

Hier findet sich eine ähnliche Version des Bildes von Edvard Munch. Entscheidend ist hierbei nun die Varianz in der Anordnung des Hauptmotivs (Mädchen auf der Brücke) und die damit abweichende Bildwirkung bzw. -intention.
AA1:
L: Vergleiche die beiden Bilder. Was erzählen sie dir?
Die Schüler vergleichen die Bilder und beschreiben sich gegenseitig ihren ersten Eindruck.
Anschließend wird gemeinsam das Hauptmotiv in jedem Bild herausgearbeitet.
(Anmerkung: ggf Einführung oder Wiederholung des Begriffs Motiv, siehe Lexikon S. 101.)

Impulse:
- Welches Motiv ist auf beiden Gemälden besonders wichtig?
- Entdeckst du in beiden Bildern Figuren, die gleich sind? Was haben die Mädchen wohl auf diesem zweiten Bild vor? Was könnten die Mädchen sagen? Erzählt dir dieses Bild eine andere Geschichte?

Die Schüler tauschen sich in einer Marktplatzrunde über ihre Ideen aus.
Gemeinsam wird zusammengefasst: Wenn sich die Darstellung des Hauptmotivs verändert, kann auch die Geschichte im Bild etwas anderes erzählen.

Abschluss

L: Wir haben viel über die Mädchen auf der Brücke erfahren. Nun wirst du ihren Maler genauer kennenlernen.

Wer ist Edvard Munch?

Kommentar zu Seite 49

Material
- Schülerbuch
- ggf. kleine Werkausstellung mit Munch Bildern
- KV 41
- ggf. Bildband über Munch
- ggf. Landkarte für die Einordnung von Munchs Heimat
- Nutzung des Internets zur Recherche

Unterrichtsplanung

Einstieg

L: Hinter jedem Kunstwerk steckt immer auch ein Künstler, der es gestaltet hat. Wenn wir mehr aus dem Leben der Künstler kennenlernen, erfahren wir oft auch mehr über seine Kunstwerke. Unser Künstler hieß Edvard Munch und wir wollen herausfinden, wer das eigentlich war.

Anmerkung: Notizzettel sind thematisch geordnet (Lebensraum, Malweise, Besonderheiten).

Klärung des Begriffs „expressionistisch" (siehe Lexikon S. 100).

Unterrichtsablauf

Gemeinsames Betrachten von S. 49.

Die Kinder sehen sich zunächst die Bilder an und lesen ggf. schon einige der Notizzettel.

L: Hier kannst du nun den Künstler sehen, der die Bilder von den Mädchen gemalt hat.
Es ist aber schon eine ganze Weile her, dass er das Bild gemalt hat.

Die Lehrkraft zeigt die Eckdaten an einer Zeitleiste.

Da die Kinder noch keine klare Zeitvorstellung besitzen, sind Jahreszahlen mit den Lebensdaten meist zu abstrakt. Eine Einordnung in den historischen Kontext kann über eine Zeitleiste als Visualisierungshilfe geschehen (KV 41). Dabei wird eine Klammer mit dem jeweiligen Ereignis am Zeitstrahl befestigt. Gestartet wird im Jetzt (heute) über die Kinder (Geburtsjahr), ihre Bezugspersonen (Eltern) bis hin zum Künstler oder Werk.

L: Gelebt hat Edvard Munch in Norwegen, dort hat er auch die Mädchen auf der Brücke gemalt.

L:. So sah es dort aus. Findest du das Haus von Munch?

Hier bietet sich an, einige Bilder von der Landschaft um Asgardstrand zu zeigen.

Die Lehrkraft nimmt Bezug auf den mittleren Notzizzettel.

L: Seine Bilder nannte er seine Kinder: Was meinte er damit?

Die Schüler vermuten: Sie sind ihm wichtig.

L: Auch hatten sie oft leuchtende Farben und schwungvolle Linien, das nennt man Malstil.

Klärung des Begriffs „expressionistisch" (siehe Lexikon S. 100).

L: Du kannst seinen Malstil auf dem Bild rechts gut erkennen. Dieses Bild heißt „Der Schrei". Es ist sehr berühmt.
Es wurde sogar schon einmal aus dem Museum gestohlen.

Abschluss

Die Kinder erzählen, wie ihnen Bilder von Edvard Munch gefallen und begründen dies.

Nun bist du an der Reihe! – Mädchen auf der Brücke

Kommentar zu Seite 50

Überlegt euch, wie ihr das Motiv zu den „Mädchen auf der Brücke" als Standbild darstellen könnt. Welche Geschichte soll euer Standbild erzählen?
Setzt eure Idee um. Fotografiert sie.
Verändert sich die Geschichte, wenn ihr euch verschieden aufstellt?
50

Material
- Fotoapparat
- evtl. Skizzenbuch
- Schülerbuch

Unterrichtsplanung

Einstieg

Ausgangspunkt ist das gemeinsame Betrachten der Abbildung auf S. 42.
AA 1: Wie stellen die Kinder das Bild „Vier Mädchen auf der Brücke" dar?
Die Lehrkraft nimmt Bezug auf den großen Kater und klärt den Begriff „Standbild".

Unterrichtsablauf

Die Schüler stellen mithilfe eines Standbildes das Hauptmotiv (= eine Gruppe von Kindern) dar.
Anmerkung: Ein Standbild ist eine „eingefrorene" Szene aus einer Geschichte, bei der auf eine aussagekräftige Mimik, Gestik und Körperhaltung geachtet werden muss.
Methoden-Tipp: Kinder in Gruppen einteilen; einige als Darsteller einsetzen sowie einen Regisseur, der die Kinder positioniert, und einen Fotografen, der das Standbild fotografiert, bestimmen.

Gestaltungsaufgabe AA 1:
Die Kinder überlegen, wie sie das Motiv „Vier Mädchen auf der Brücke" als Standbild darstellen können und welche Geschichte ihr Standbild erzählen soll.
Die Schüler tauschen sich untereinander aus, sammeln Ideen und stellen sie ggf. vor.
Überlegung:
Falls es die örtlichen Gegebenheiten erlauben, möglichst eine ähnliche Szenerie als Hintergrund finden (z. B. Brücke, Häuser im Hintergrund, ein ähnlicher Baum …).

AA 2: Setzt eure Idee um. Fotografiert sie.
Reflexion:
Inwiefern hängen Inhalt und Darstellungsweisen zusammen (z. B. hängende Schultern, gebeugte Haltung, Mundwinkel unten, Gruppierung um eine Person = eine traurige Geschichte).

Erweiterung AA 3: Verändert sich die Geschichte, wenn ihr euch anders aufstellt?
- Findet möglichst unterschiedliche Geschichten in den Standbildern.
- Wie kann ich durch das Positionieren und unterschiedliche Haltungen die Geschichte verändern?

Abschluss

Die Ergebnisse der Kinder mit den „Mädchen" von Munch vergleichen (– entweder am PC oder als Collage „Original und wir" präsentieren).

Ein rätselhaftes Bild

Kommentar zu Seite 51

Material
- Schülerbuch
- KV 6
- KV 42, 43

Unterrichtsplanung

Einstieg

Es geht zunächst darum, dass die Kinder einen Ausschnitt des gesamten Gemäldes sehen, diesen beschreiben und ihn in Gedanken zu einem Gesamtbild weiterentwickeln. Um die Spannung nicht vorwegzunehmen, sollte man darauf achten, dass die Kinder noch nicht das gesamte Gemälde auf S. 52 sehen. Gegebenenfalls sollte der Bildausschnitt separat (z. B. an der Tafel) präsentiert werden.

Unterrichtsablauf

Die Kinder betrachten den Bildausschnitt.
Die Lehrkraft nimmt Bezug auf die Sprechblase des großen Katers:

L: Einige Bilder erzählen uns Geschichten, manche geben uns auch Rätsel auf.

AA 1: Hier wird nur ein kleiner Teil eines Gemäldes gezeigt. Überlege, wie das Bild weitergeht.
Die Schüler vermuten zunächst, wie der Bildausschnitt auf S. 51 sich fortsetzt.
Dann wird der Bildausschnitt den Kindern als Farbausdruck angeboten (KV 42).
Die Kinder sollen den Ausschnitt in ihr Skizzenbuch (KV 6) kleben (alternativ KV 43) und nach eigenen Vorstellungen ergänzen.
AA 2: Du hast dir überlegt, wie das Bild weitergeht. Zeichne deine Idee.

AA 3: Vergleicht die Zeichnung.
Im Kreisgespräch zeigen sie ihre Zeichnungen und erläutern diese.

Abschluss

Überleitung zum Gemälde „Schwarzer Fürst" auf S. 53.
L: Wir haben ganz verschiedene Möglichkeiten gefunden, wie das gesamte Bild aussehen kann. Nun bist du sicher gespannt, ob deine Idee dabei ist.

Ein rätselhaftes Bild

Kommentar zu den Seiten 52 – 53

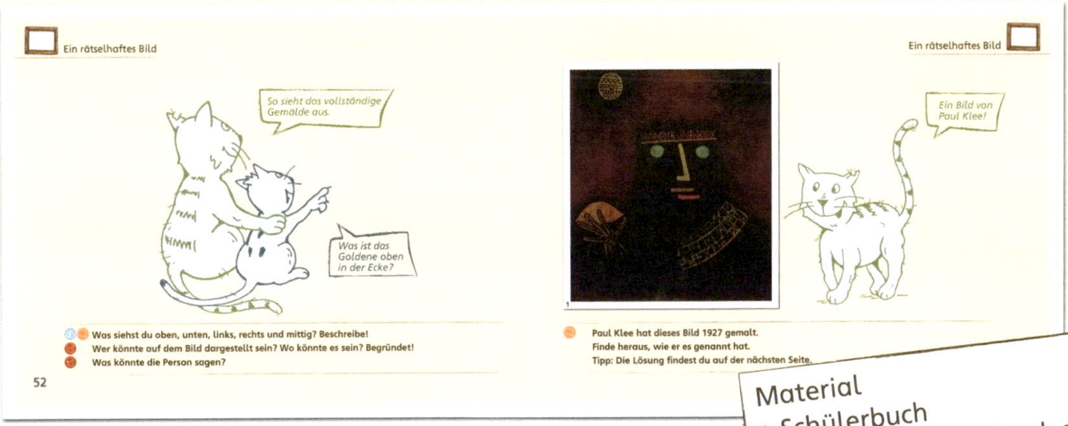

Material
- Schülerbuch
- Gemälde als Ausdruck an der Tafel oder Beamerprojektion
- KV 3–6

Unterrichtsplanung

Einstieg

Das Rätsel wird aufgelöst, indem im Buch S. 53 aufgeschlagen oder das Bild als Druck oder Projektion im Klassenraum großformatig gezeigt wird. Ein Rückbezug zu den eigenen Ideen aus der Ergänzung des Bildausschnitts im Skizzenbuch (KV 6) wird hergestellt.
Bezug zur Sprechblase des großen Katers: So sieht das ganze Gemälde aus!
L: Hattest du dir das Bild so vorgestellt? Wir wollen es genauer ansehen.

Unterrichtsablauf

Im Kinositz werden die Details des Bildes gemeinsam besprochen.
AA 1 (formale Ebene): Beschreibe, was du entdeckst.
- Das ist ein Mann, ein König …
- In der Hand hat er einen Goldklumpen, einen Fisch, eine Zitrone …
- Es ist Nacht auf dem Bild …
- Das Gesicht besteht nur aus Formen.
- Die Farben …

Die Lehrkraft gibt ggf. Hilfsimpulse durch Symbolkarten (Farben, Formen …, KV 3–5) oder Zielfragen (zu welcher Tageszeit …).
AA 2 (inhaltliche Ebene): Austausch über Vermutungen
- Wer könnte im Bild dargestellt sein?
- Wo könnte das sein?
- Was könnte die Person sagen?

Wichtig ist dabei, dass die Kinder ihre Vermutungen mithilfe der Bilddetails begründen und z. B. Bezug zum kleinen Kater nehmen: Was ist das oben in der Ecke?
Die Schüler erkennen den Mond.
L: Würdest du den Mond auch so zeichnen? Was ist das Besondere daran?
Anmerkung zur Entstehung des Bildes:
Paul Klee wurde in seiner Thematik von Reisen nach Tunesien und Ägypten beeinflusst. Die vorhandenen Muster, z. B. im Mond, können auf Eindrücke dieser Reisen zurückzuführen sein.
AA 1 S. 53:
Die Kinder erfahren, dass der Künstler des Bildes Paul Klee ist und antizipieren mögliche passende Bildtitel.
Die Lehrkraft notiert sie an der Tafel.

Abschluss

L: Wie Paul Klee sein Bild genannt hat, erfährst du auf der nächsten Seite.

Wer ist Paul Klee?

Kommentar zu Seite 54

Material
- Schülerbuch
- ggf. kleine Werkausstellung mit Klee-Bildern
- ggf. Bildband über Klee
- ggf. Landkarte für die Einordnung von Klees Heimat
- Nutzung des Internets zur Recherche

Unterrichtsplanung

Einstieg

Ausgangspunkt ist das gemeinsame Betrachten der Abbildung auf S. 54.
L: Das sind Paul Klee, seine Frau Lily und ihr Kater.

Unterrichtsablauf

Gemeinsames Besprechen der Eckdaten auf S. 54 mit unterstützendem Hintergrundmaterial (z. B. Bezug zur Tunisreise mit August Macke, Visualisierung der Lebensdaten an der Zeitleiste, vgl. Beschreibung bei Edvard Munch).

Die Lehrkraft gibt ausgewählte Hintergrundinformation an die Kinder weiter, z. B.:

- Paul Klee ist in der Schweiz geboren.
- Sein Vater war Musiklehrer; Paul spielte sehr gut Geige und wollte sogar Musiker werden.
- 1906 zog er nach Münschen und heiratete die Pianistin Lily Stumpf.
- 1907 kam ihr Sohn Felix auf die Welt.
- Auf dem Foto ist er mit seiner Frau Lily und dem Kater Bimbo zu sehen.
- Nach Tunesien reiste er 1914 zusammen mit seinem Freund, dem Maler August Macke.
- Von seinen Reisen brachte er viele Ideen mit, auch für die Farben seiner Bilder.

Bezug zur Malweise:
Paul Klee sagte auf der Tunisreise:
„Die Farbe hat mich. Ich brauche nicht nach ihr zu haschen. Sie hat mich für immer, ich weiß das. Das ist der glücklichen Stunde Sinn: Ich und die Farbe sind eins. Ich bin Maler."

Abschluss

Überleitung zur Gestaltungsseite.
L: Paul Klee hat immer wieder viele Ideen von seinen Reisen mitgebracht. Denke an die Muster im Mond. Stell dir vor, er wäre nicht dort gewesen.
Die Schüler vermuten frei.

Nun bist du an der Reihe! – Was wäre wenn?

Kommentar zu Seite 55

Material
- Stifte oder Wachsmalkreide
- verschiedene Zeichenpapiere auch farbig
- KV 44

Unterrichtsplanung

Einstieg

Ausgangspunkt für die Gestaltung ist die zentrale Frage:
- Was wäre wenn … (KV 44)

Die Kinder sprechen über die Vorschläge.

Unterrichtsablauf

Gemeinsam wird erarbeitet, wie sich das Motiv im Bild ändern müsste, wenn die Rahmenbedingungen der Entstehung des Bildes andere gewesen wären (s. Sprechblasen), z. B.
- Wenn Paul Klee keine Anregungen aus einer Reise nach Tunesien erhalten hätte, dann …
- Das Motiv des schwarzen Fürsten verändert wäre, dann …

AA 1: Habt ihr noch eine andere Idee? Sammelt weitere Fragen in der Gruppe und stellt sie vor.
Die Kinder geben ihre Ideen weiter.
Die Lehrkraft sammelt sie ggf. an der Tafel.

Gestaltungsaufgabe:
AA 2: Suche dir eine Frage aus und gestalte ein Bild dazu.
Die Gestaltungsaufgabe ist hier bewusst offen gehalten.
Somit ist es möglich, dass die Ergebnisse der Schüler je nach Idee individuell anders ausfallen.
Im Museumsrundgang werden die Ergebnisse präsentiert und reflektiert.

Abschluss

Die Kinder präsentieren ihre Ergebnisse zusammen mit Paul Klees Bild„Schwarzer Fürst".
Sie finden einen Titel für ihr Werk.
Titel und Künstler werden auf einer Plakette zum Bild gehängt.

Jetzt weiß ich schon viel mehr! – Über Kunstwerke sprechen

Kommentar zu Seite 56

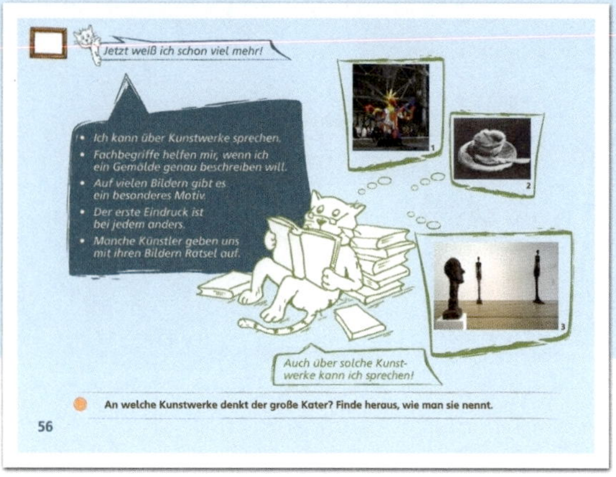

Material
- Schülerbuch
- KV Reflexionskarte „Künstlertreff"
- rotes und grünes Tuch
- KV 45–49

Unterrichtsplanung

Einstieg

Kinder und Lehrkraft treffen sich zum Künstlertreff im Kreis.
Auf einem Bodentuch liegt die Karte „Künstlertreff" (KV Reflexionskarte).

Künstlertreff

Die Lehrkraft legt folgende Impulskarten (KV 45–49) in den Kreis und liest sie ggf. vor:

- Bilder erzählen Geschichten.
- Jeder sieht in einem Bild das Gleiche.
- Ich muss bei einem Bild nie genau hinschauen.
- Über Kunst kann ich sprechen.
- Fachbegriffe helfen mir über Kunst zu sprechen.
- Satzanfänge vorgeben.

Die Lehrkraft hat ein Bodenbild mit einem roten (= falsch) und einem grünen Tuch (= richtig) vorbereitet.
Gemeinsam werden die Behauptungen den Farben zugeordnet.
Dabei ist wichtig, dass die Kinder ihre Zuordnung genau begründen.

Ausblick

Gemeinsam werden die Abbildungen auf S. 56 betrachtet.
Bezug zum großen Kater herstellen:
Auch über solche Kunstwerke kannst du sprechen.
Die Schüler äußern sich dazu.
AA: An welche Kunstwerke denkt der große Kater? Finde heraus, wie man sie nennt.
Anmerkung:
Bild 1: Niki de Saint Phalle: „Feuervogel", Figur des Strawinski-Brunnen, 1982/83, Centre Georges Pompidou, Paris
Bild 2: Meret Oppenheim: „Frühstück im Pelz", 1936, Muesum of Modern Art, New York
Bild 3: Skulpturen von Alberto Giacometti

Erfahrungswelten II

Kommentar zu den Seiten 59 – 68

Sequenzübersicht

Erfahrungswelten II

Was ist eigentlich ein Porträt?

Gesichter sehen verschieden aus

So geht's: Gesichter zeichnen

Mein Porträt von dir

Porträts im Wandel der Zeit

Viele Ideen für ein Porträt

Sachinformation

Profilbilder, Selfies, Schnappschüsse – die Darstellung des eigenen „Ichs" ist in der heutigen Gesellschaft aktueller denn je. Deshalb beschäftigt sich das zweite Kapitel aus dem Bereich Erfahrungswelten eingehend mit dem Thema Porträt. Dabei geht es zunächst darum, den Kindern das Genre Porträt näherzubringen. Schon von Beginn an hat das Bildnis einer Person einen ganz besonderen Stellenwert in der künstlerischen Darstellung. Es soll in erster Linie das Wesen, beziehungsweise die Persönlichkeit des Porträtierten zum Ausdruck zu bringen. Unter dem Einfluss der verschiedenen Epochen veränderte sich im Laufe der Zeit auch das Porträt. Besonders bei Auftragsarbeiten sollte ein Bildnis einer Person früher meist der Realität entsprechen, es konnte den Dargestellten aber auch idealisiert wiedergeben. Für realistische Darstellungen steht heute die Fotokamera zur Verfügung, was die Gestaltungsweise der Künstler beeinflusst hat. In diesem Kapitel erforschen die Kinder zunächst, nach welchem Schema ein Gesicht aufgebaut ist. Sie lernen aber auch verschiedene künstlerische Darstellungsarten kennen und sehen, wie sich das Genre Porträt über die Jahre weiterentwickelt hat.

Erfahrungswelten II

Kommentar zu den Seiten 59 – 68

Informationen zum Kunstwerk

Kunstwerk	Künstler – Kunstepoche	Wissenswertes
„Die Malkunst", um 1666, Öl auf Leinwand, 120 cm × 100 cm, Kunsthistorisches Museum, Wien	Jan Vermeer (1632 – 1675)	Jan Vermeer war ein bekannter holländischer Maler des Barock. Er malte in der Epoche des Goldenen Zeitalters der Niederlande, in der das Land eine wirtschaftliche und kulturelle Blütezeit erlebte. Mit seiner Frau Catharina Bolnes hatte er 15 Kinder. Vermeer erzielte schon zu Lebzeiten gute Preise für seine Gemälde. Er malte nur sehr wenige Bilder im Jahr. Sein gesamtes Werk umfasst nur etwa 37 Gemälde. Eines davon ist das berühmte „Mädchen mit dem Perlenohrring", über das sogar ein Film gedreht wurde. Jan Vermeer malte das Bild „Die Malkunst" etwa 1666. Wahrscheinlich war es keine Auftragsarbeit, sondern als Ausstellungsstück für Kunden des Ateliers gedacht. Das Bild gilt als eines seiner Hauptwerke. Bei der Abbildung handelt es sich um einen Bildausschnitt.

Unterrichtsplanung

Vorbereitende Hausaufgabe für das gesamte KapiteL:
Kinder bringen ein Porträtfoto von sich mit. Die Lehrkraft heftet sie an die Tafel und klappt diese zu.
Einstieg in die Thematik:
Gemeinsames Betrachten des Bildausschnitts S. 59 aus dem Gemälde „Malkunst" von Vermeer.
Die Schüler äußern sich spontan:

- Da wird eine Frau, ein Mädchen gemalt.
- Das ist in einem Künstlerstudio/Atelier.

Die Lehrkraft stellt Bezug zu Staffelei und dem Bildfortschritt des dargestellten Künstlers her.

L: Was meinst du, wie lange braucht der Maler noch?
Die Schüler vermuten:

- Das dauert noch …
- Der Maler hat erst angefangen …

L (Provokation): Mir tut das Mädchen leid. Sie muss so lange still stehen. Warum tut sie sich das an?
Die Schüler: Sie möchte ein schönes Bild von sich haben.
Die Lehrkraft zeigt die Porträtfotos an der Tafel.

L: Hast du dafür auch sehr lange stillhalten müssen?
Die Schüler stellen fest, dass es heute mithilfe des Fotoapparats viel schneller geht, ein Bild von sich zu bekommen.
Überleitung:
L: Früher gab es keine Fotoapparate, deshalb mussten Maler genau wissen, wie man Menschen und Gesichter malt. Bilder von Gesichtern nennt man Porträts.

Gesichter betrachten

Kommentar zu den Seiten 60 – 61

Material
- Schülerbuch
- Handspiegel
- Skizzenbuch (KV 6)

Unterrichtsplanung

Einstieg

L: Sieh dir einmal in Ruhe die Porträts auf S. 60 an.
Stilles Betrachen der Bilder im Schulbuch.

Unterrichtsablauf

Die Lehrkraft teilt die Spiegel aus.

AA 1: Betrachte dich nun selbst im Spiegel.
Achte dabei genau auf Kleinigkeiten in deinem Gesicht. (Musik einspielen)

AA 2: Suche dir ein Porträt im Buch aus. Vergleiche es mit deinem Spiegelbild.
Wenn die Musik ausklingt, sollen die Kinder ihr eigenes Spiegelbild mit den Porträts im Schülerbuch vergleichen.

Die Schüler stellen fest, das Mädchen/der Junge sieht ganz anders aus als ich. Sie beschreiben genau:
- Der Junge hat lange Haare und sehr blasse Haut. Er trägt einen Hut und ein altmodisches Hemd. Er lächelt nicht.
- Das Mädchen ist sehr blass und trägt ein altmodisches Kleid und Schmuck. Sie schaut ernst.

Gemeinsam wird besprochen, dass diese Porträts sehr alt sind und dass sich früher nur reiche Menschen so ein Bild leisten konnten. Daher auch die wertvolle Kleidung.

Überleitung zur Abbildung auf S. 61:

L: Heute ist es leichter. Jeder kann von sich ein Bild machen lassen.
Die Schüler erkennen:
- Fotos werden sogar mit dem Handy gemacht.
- Es ist nicht so teuer wie früher.

L: Sieh dir die Bilder auf der nächsten Seite genauer an. Der große Kater hat etwas Wichtiges festgestellt.
Die Lehrkraft nimmt Bezug auf die Bemerkung des Katers: „Jedes Gesicht sieht anders aus!"

AA 1: Worin unterschieden sich die Gesichter? Was haben sie gemeinsam?

Gesichter betrachten
Kommentar zu den Seiten 60 – 61

Die Schüler vergleichen die Gesichter der Kinder auf S. 61 und beschreiben Unterschiede und Gemeinsamkeiten möglichst genau:

- Die Hautfarbe ist verschieden.
- Alle haben Haare, aber manche sind lockig, andere glatt.
- Die Augen sind verschieden in Form oder Farbe.

AA 2 Gestaltungsauftrag:
Lege ein großes Blatt zwischen dich und deinen Partner (ggf. im Skizzenbuch arbeiten).
Zeichnet euch gegenseitig.

Die Kinder zeichnen sich gegenseitig, frei und zunächst ohne Vorgabe.

AA 3: Stellt eure Ergebnisse vor. Gebt Tipps an die anderen Kinder weiter.

Die Präsentation wird so gestaltet, dass möglichst alle Ergebnisse gemeinsam betrachtet werden können, z. B. an der Tafel, im Kreis …
Die Kinder geben Rückmeldungen und Tipps nach bekannten Satzmustern weiter, z. B. „Gut gelungen ist dir …" / „Mein Tipp an dich wäre …".

Abschluss

L: Du hast festgestellt, dass es gar nicht so leicht ist, ein Porträt zu zeichnen. Deshalb gibt es dafür Hilfen!
Die Schüler sammeln in einer Abschlussrunde nochmals ihre Erkenntnisse zum Thema Porträt und fassen gelernte Inhalte zusammen.

So geht's: Gesichter zeichnen

Kommentar zu Seite 62

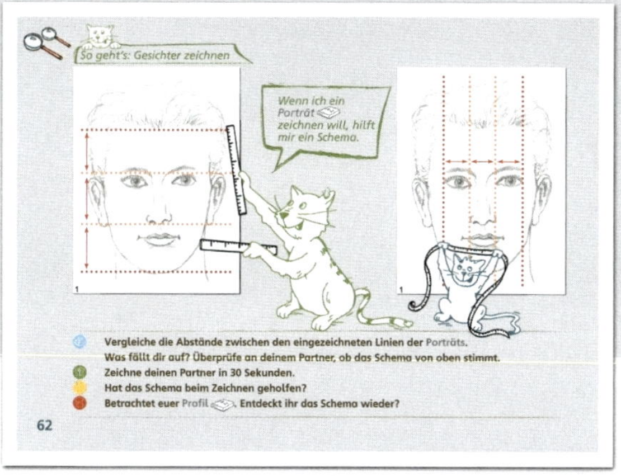

Material
- Schülerbuch
- Lineal
- Maßband

Unterrichtsplanung

Einstieg

Die Kinder beschreiben zunächst die Situation auf S. 62:
- Da ist ein Gesicht.
- Das ist ein Porträt.
- Die Kater messen etwas.

Unterrichtsablauf

Die Lehrkraft nimmt Bezug auf die Sprechblase des großen Katers:
„Wenn ich ein Porträt zeichnen will, hilft mir ein Schema."
L: Du brauchst nun dein Lineal.

AA 1: Vergleiche die Abstände zwischen den eingezeichneten Linien der Porträts.
Was fällt dir auf?
Gemeinsames Besprechen der Schemata:
- waagrecht: Abstand Stirn-Nasenlänge-Kinn gleich
- senkrecht: Abstand Auge-Nasenbreite-Auge gleich

AA 1: Überprüfe an deinem Partner, ob das Schema vom Buch stimmt.
Tipp: Mit einem Maßband lässt sich das Gesicht genauer abmessen (– gibt es kostenfrei in Möbelhäusern).
Gemeinsam werden die Ergebnisse besprochen.

L: Ich habe nun eine witzige Aufgaben für dich und deinen Partner. Wir gestalten ein Blitzporträt.
AA 2: Zeichne deinen Partner in 30 Sekunden!
Kurzinfo: Durch die zeitliche Einschränkung müssen sich die Kinder auf das wesentliche Gesichtsschema konzentrieren und können sich so nicht mit der Darstellung allzu detailgenauer Kleinigkeiten aufhalten.
Die Kinder zeichnen sich innerhalb von 30 Sekunden gegenseitig.

Evaluation der Ergebnisse:
L: Hat dir das Schema beim Zeichnen geholfen?

Abschluss

Die Lehrkraft erklärt den Begriff „Profil" (siehe Lexikon S. 101).
AA 4: Betrachtet euer Profil. Entdeckt ihr das Schmea wieder? (Ggf. wieder messen.)

Nun bist du an der Reihe! – Mein Porträt von dir

Kommentar zu Seite 63

Material
- Zeichenblatt oder Skizzenbuch (KV6)
- Werkmittel entsprechend der Abbildung

Unterrichtsplanung

Einstieg

Der Einstieg erfolgt über das „Blindporträt“:
Die Kinder sitzen sich an einem Tisch gegenüber, jeder hat vor sich ein Blatt Papier und einen Bleistift. Sie betrachten sich genau und zeichnen sich dann auf ein gemeinsames Signal hin, ohne dabei auf das Blatt zu schauen.

Unterrichtsablauf

Kurzinfo:
Das „Blindporträt“ dient vor allem der Auflockerung. Viele Kinder haben beim Thema Porträt wenig Vertrauen in ihre eigenen Fähigkeiten. Bei den Ergebnissen eines „Blindporträts“ sind die Proportionen wenig stimmig. Diese „picassoresken“ Porträts regen zum Schmunzeln an und sorgen dafür, dass die Kinder offener an das Zeichnen herangehen.

Gemeinsam werden die Ergebnisse besprochen, dabei beschreiben die Kinder, wie sie sich während der Aktion gefühlt haben, wie sie die Ergebnisse finden …

Die Lehrkraft nimmt Bezug auf die Sprechblase des Katers:
L: Von der Seite oder von vorne? Es gibt viele Möglichkeiten ein Gesicht zu zeichnen.
AA: Gestalte ein Porträt von dir oder deinem Partner. Achte dabei auf die Einteilung des Gesichts.

Gemeinsames Besprechen der Möglichkeiten der grafischen Gestaltung, siehe Abbildung S. 63:
- Schattenriss
- Partnerporträt
- Selbstporträt mit Spiegel
- Fensterporträt

Evaluation der Ergebnisse im Künstlertreff:
Besprechen der Ergebnisse mit Rückmeldungen, Tipps nach bekannten Satzmustern, z. B.
„Gut gelungen ist dir … “, „Mein Tipp an dich wäre …“.

Abschluss

L: Vergleiche die Ergebnisse mit den ersten Porträtversuchen von S. 61.
Herausarbeiten der Fortschritte.

Porträts

Kommentar zu den Seiten 64 – 65

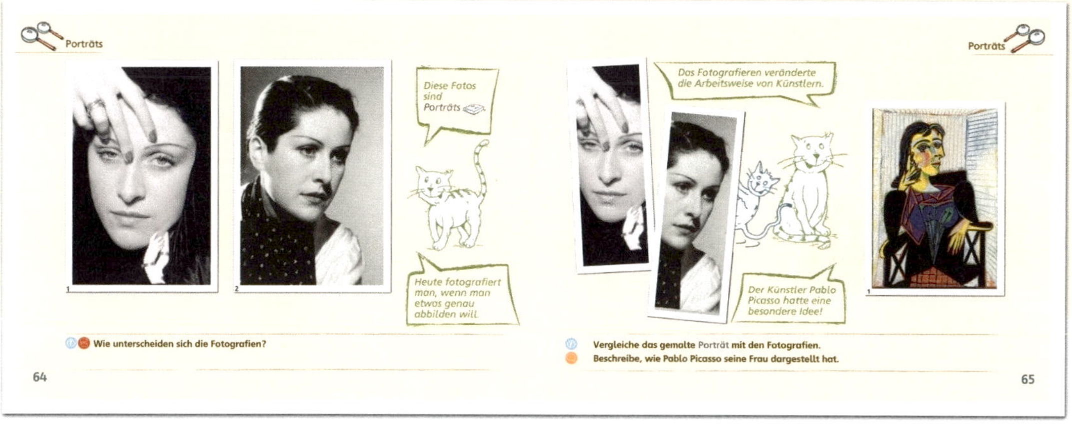

Unterrichtsplanung

Einstieg

Bezug auf die eigenen Porträtversuche und der Sprechblase des großen Katers herstellen.

L: Das genaue Abzeichnen eines Menschen ist ganz schön schwierig. Dafür haben wir heute die Fotokamera. Sieh dir aber die Fotos auf S. 64 nun einmal genau an.

Unterrichtsablauf

AA 1: Wie unterscheiden sich die Fotografien.

- Abb. 1: Dora Maar von vorn
- Abb. 2: Dora Maar im Halbprofil

Kurzinformation: Dora Maar (1907 – 1997) war selbst Fotografin, sie lebte vor allem in Paris. In den 1930er Jahren stand sie im engen Kontakt mit den Pariser Surrealisten wie André Breton oder Man Ray, der auch mehrere Porträtfotos von ihr machte. In ihrer eigenen Arbeit wählte sie als Sujet das Leben von sozialen Außenseitern, Arbeitslosen und Obdachlosen, bevor sie sich der surrealistischen Fotografie widmete.

1936 lernte sie in Paris Pablo Picasso kennen und war acht Jahre lang seine Geliebte und eine seiner bekanntesten Musen. 1937 dokumentierte sie mit dem Fotoapparat Picassos Arbeit an seinem berühmten Gemälde „Guernica".

Überleitung zu S. 65:

L: Der Künstler Pablo Picasso hatte eine besondere Idee!

Kurzinformation zu Picassos Darstellung von Dora Maar:

Picasso vermischt in seinem Porträt die Ansicht von vorn und das Halbprofil von Dora Maar.

Gemeinsam wird diese Besonderheit in Picassos Gemälde auf S. 65 herausgearbeitet unter Bezug auf die beiden Fotografien links.

AA 1: Vergleiche das gemalte Porträt mit den Fotografien.

L: Sieht das gemalte Porträt der Frau ähnlich?

AA 2: Beschreibe, wie Picasso seine Frau dargestellt hat.

L: Warum hat Picasso seine Frau so dargestellt?

Die Schüler vermuten:

- Er wollte ein besonderes Porträt malen.
- Ein Foto war ihm zu langweilig.

Abschluss

Überleitung zu S. 66:

L: Das Fotografieren veränderte die Arbeitsweisen von vielen Künstlern. Sie wollten nicht mehr darstellen, wie es eine Fotokamera nun konnte.

Porträts – Im Wandel der Zeit

Kommentar zu Seite 66

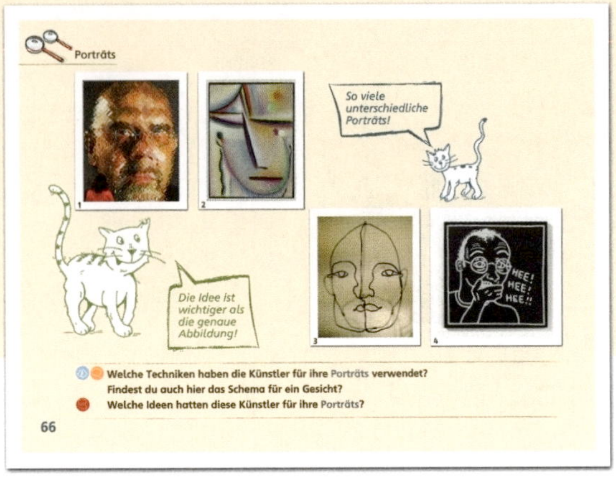

Material
- Schülerbuch
- ggf. Bilder als Farbausdrucke

Unterrichtsplanung

Einstieg

Gemeinsames Betrachten von S. 66 (ggf. auch im Kreis mit Bodenbild aus Farbausdrucken).
Bezug zum kleinen Kater herstellen.
L: Das sind ganz schön viele unterschiedliche Porträts.
Die Schüler äußern sich frei.
L: Welche Idee davon gefällt dir besonders gut?

Unterrichtsablauf

Die Kinder betrachten die einzelnen Porträts, bestimmen eines davon und begründen ihre Auswahl.
- Die Idee von … finde ich gut, weil …
- … gefällt mir am besten, weil …

L: Die Idee ist den Künstlern manchmal wichtiger als die genaue Abbildung!

AA 2: Welche Ideen hatten die Künstler hier für ihre Porträts?

- Abb. 1: Chuck Close: „Selbstporträt 2", fotorealistisches Selbstporträt in mosaikähnlicher Flächenaufteilung, zum Verdeutlichen des Größenverhältnisses sieht man eine Frau im Vordergrund
- Abb. 2: Alexej von Jawlensky: „Das Gebet", Aquarell/Kreide
- Abb. 3: Alexander Calder: „Masque", Draht
- Abb. 4: Keith Haring: „Selbstporträt Hee hee hee", Grafik

Die Schüler besprechen sich in der Gruppe:
AA 1. Welche Technik haben die Künstler für ihre Porträts verwendet?
Die Schüler vermuten.

L: Findest du auch hier das Schema für ein Gesicht wieder?
Die Schüler begründen.

Abschluss

Überleitung zur Gestaltung:
L: Wenn einer dieser Künstler ein Porträt von dir machen sollte, welchen würdest du wählen?

Nun bist du an der Reihe! – Mein besonderes Porträt

Kommentar zu Seite 67

Material
- sämtliche Werkmittel der Unterrichtseinheit
- Zeichenblätter
- verschiedene bunte Papiere
- Klebstoff
- Schere
- Material zur Vorbereitung des Arbeitsplatzes
- KV 50

Unterrichtsplanung

Einstieg

Gemeinsames Betrachten der verschiedenen Gestaltungsvorschläge auf S. 67.
L: Wie haben die Kinder ihre Porträts gemacht? Welche Ideen hatten sie?
Die Schüler gehen auf die verschiedenen Techniken ein.

Unterrichtsablauf

L: Hast du nun schon eine Idee?
Die Kinder stellen ggf. eigene Ideen vor.

Umsetzung des Themas im Werkstattcharakter.
Die Lehrkraft bietet verschiedenes Material an. Vorher wird besprochen, was gebraucht wird.
L: Überlege, welches Material du brauchst. Suche dir einen geeigneten Arbeitsplatz und setze deine Idee um.

AA 1: Gestalte ein Porträt auf deine Art (KV 50).
Die Kinder gestalten allein oder im Team.

Im Anschluss findet eine Präsentation der Ergebnisse in Form einer Ausstellung statt.
Die Lehrkraft bespricht mit den Kindern geeeignete Ausstellungsmöglichkeiten:
- Brauche ich einen Sockel, eine Vitrine …
- Vor welchem Hintergrund stelle ich aus …
- Ergänze ich mein Werk mit einer Beschreibung …

Abschluss

AA 2: Plant eine Ausstellung und präsentiert eure Ergebnisse anderen Kindern.
Einladung an andere Klassen zur Ausstellung.

Jetzt weiß ich schon viel mehr! – Porträts

Kommentar zu Seite 68

Material
- Schülerbuch
- KV Reflexionskarte „Künstlertreff“
- KV 51
- Bildkartenauswahl Porträts
- Computer
- Fotokamera

Unterrichtsplanung

Einstieg

Kinder und Lehrkraft treffen sich zum Künstlertreff (KV Reflexionskarte) im Kreis.
Die Lehrkraft legt eine Bildkartenauswahl von „alten, gemalten“ Porträts, modernen Porträts und Fotos (evtl. als Postkarten) auf ein Bodentuch.

Künstlertreff

L: Du weißt nun, wie wir solche Abbildungen von Menschen nennen?
Die Schüler nennen den Begriff Porträt.
Begriffe Porträt und Gesichtsschema werden wiederholt und erläutert, z. B.:
- Wenn das Motiv ein Gesicht ist, nennt man das ein Porträt.
- Wenn ich Gesichter zeichnen will, hilft mir ein Schema.

Die Lehrkraft legt die Wortkarten „früher“ und „heute“ (KV 51) in die Mitte.
Die Schüler ordnen Bildkarten zu den Wortkarten und erklären dazu:
- Wenn man früher ein Bild von sich haben wollte, musste es gemalt werden.
- Dafür musste man lange ruhig dastehen.
- Heute macht man ein Foto.
- Jeder kann heute ein Bild von sich haben.

Lehrer stellt Bezug zum Unterschied zwischen realistischer Fotodarstellung und Künstleridee her.
L: Den Künstlern ist manchmal die Idee wichtiger als die genaue Abbildung.

L: Sieh dir nun die Fotos auf der Seite einmal genau an.
Die Schüler betrachten die drei Abbildungen auf S. 68 und vermuten, wie diese Bilder hergestellt wurden.

Ausblick

AA 1:
L: Auch das sind Porträtfotos. Überlege, wie diese entstanden sind?
Die Kinder berichten von ihren Vorerfahrungen.
Weiterführender Gestaltungsauftrag:
Veränderung eines Fotos mit einem einfachen Bildbearbeitungsprogramm

Visuelle Medien II

Kommentar zu den Seiten 69 – 72

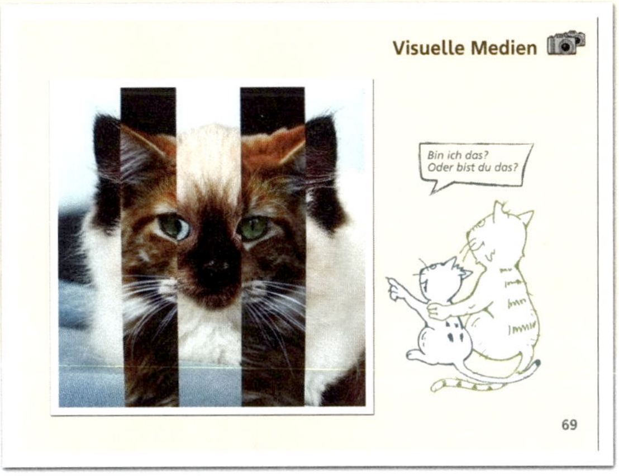

Sequenzübersicht

Visuelle Medien II

- **Aus zwei mach eins**
- **Fotos verändern**
- **Meine Fotocollage**
- **Mein Stuhl verwandelt sich**

Sachinformation

Nachdem die Kinder bereits erste Erfahrungen im Umgang mit einer Digitalkamera, einem Tablet oder Smartphone gesammelt haben, steht nun das Foto an sich im Fokus. Schon das Fotografieren allein bedeutet, die eigene Umwelt unter einem neuen Blickwinkel zu betrachten – dem Sucher der Kamera. Auf der Suche nach geeigneten Motiven richten die Kinder ihre ganze Aufmerksamkeit auf das, was sie umgibt und entdecken ihre Umwelt mit der Kamera neu. Durch die Überarbeitung oder Weiterverarbeitung der Fotografien ergeben sich dann weitere Gestaltungsmöglichkeiten, die den Kindern einen Blick auf die kreative Auseinandersetzung mit Fotografien eröffnen. Dabei ist es natürlich völlig freigestellt, die Bilder analog als Grundlage einer Fotocollage einzusetzen oder direkt am PC zu bearbeiten.

Informationen zum Kunstwerk

Kunstwerk	Künstler – Kunstepoche	Wissenswertes
„Das Streifenporträt“	-	Bei dieser Art der Darstellung werden zwei Fotos miteinander kombiniert. Dies kann sowohl als analoge Fotocollage als auch digital am PC umgesetzt werden. Bei der analogen Variante werden die beiden Fotografien in gleich große Streifen zerschnitten, miteinander kombiniert und als neues Bild aufgeklebt. Bei der digitalen Variante wird in zwei Ebenen gearbeitet. Während Bild 1 als ganzes erhalten bleibt, wird Bild 2 in Streifen über das erste Bild gelegt und kann so ausgedruckt werden. Varianten: • die Streifen im Querformat anordnen • verlängern oder verbreitern: ein Foto mehrmals ausdrucken, zerschneiden und gleiche Streifen in der Reihe aneinander hängen • Kreise ausschneiden und verschoben zusammenkleben • immer einen Streifen durch Zeichnen ergänzen lassen • am PC bearbeiten *Tipp: Frontalporträts eignen sich am besten. Schon beim Fotografieren darauf achten, dass sich die Porträts später in der Größe ungefähr gleichen, damit man sie gut kombinieren kann. Fotos vor dem Drucken ggf. am PC entsprechend anpassen.*

Unterrichtsablauf

Ausgangspunkt ist das gemeinsame Betrachten der Fotocollage auf S. 69.

Die Kinder äußern sich zunächst frei zur Darstellung, z. B.:
- Das sind zwei Katzen vermischt.
- Das ist ein Foto …

Die Lehrkraft nimmt Bezug zur Sprechblase des kleinen Katers:
L: Wer könnte das sein?
Die Kinder vermuten, dass auf der Fotocollage die beiden Leitfiguren zu sehen sind.

L: Das ist kein gemaltes Bild!
Die Kinder stellen fest, dass es sich um eine bzw. zwei Fotografien handelt.

L: Du hast eine Idee, wie dieses Bild wohl gemacht wurde (siehe Sachinformation).

Tipp: Schon hier ergibt sich die Möglichkeit der praktische Umsetzung.
Die Kinder können ein Streifenporträt als Einstieg in die Thematik des kreativen Umgangs mit Fotografien gestalten.

Fotos verändern

Kommentar zu Seite 70

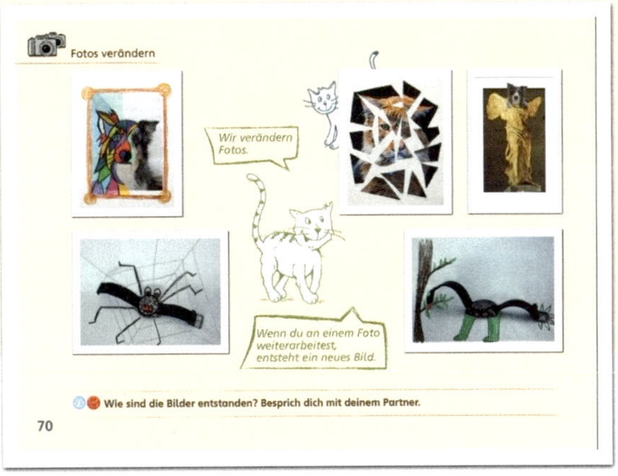

Material
- Schülerbuch
- KV 52–54

Unterrichtsplanung

Einstieg

Zu den verschiedenen Abbildungen bietet sich neben der Partnerarbeit an, mehrere Expertengruppen zu bilden. Gemeinsam werden die verschiedenen Fotos betrachtete.

Unterrichtsablauf

Gruppe 1 bespricht das Bild links oben.
Die Kinder stellen fest:
- Das Bild wurde so übermalt, dass der Hund noch zu erkennen ist.
- Die Umrisse wurden beibehalten.
- Einzelne Flächen sind farbig gestaltet und verfremdet.
- Es wurden Wachsmalkreiden (Ölpastelkreiden) verwendet.

Möglicher Arbeitsauftrag (KV 52–54):
- Sieh dir das Foto genau an!
- Was wurde fotografiert?
- Wie wurde am Bild weitergearbeitet?
- Wie wurden die Farben eingesetzt?
- Ist das Bild fertig? Begründe!

Gruppe 2 bespricht das Bild oben in der Mitte.
Die Kinder stellen fest,
- dass das Foto zerschnitten und neu aufgeklebt wurde.
- dass die Katze aber immer noch zu erkennen ist.

Möglicher Arbeitsauftrag:
- Sieh dir das Foto genau an!
- Was wurde fotografiert?
- Wie wurde am Bild weitergearbeitet?
- Warum kannst du am Ende wieder das Tier erkennen?
- Begründe!
- Schlage den Begriff Fotocollage im Lexikon (siehe S. 100) nach.

Gruppe 3 bespricht das Bild oben rechts.
Die Kinder stellen fest,

- dass ein Foto zerschnitten wurde (Hundekopf) und mit einem anderen Bild (Statue) kombiniert wurde.

Die Technik wird besprochen: Falls ein Kind Erfahrungen mit Bildbearbeitung am PC oder Tablet hat (z. B. mit der Funktion „Freistellen“ oder mit einer App wie Puppet Pals) wird dies aufgegriffen.

Möglicher Arbeitsauftrag:

- Sieh dir das Foto genau an!
- Was wurde fotografiert?
- Wie wurde dann weitergearbeitet?
- Schlage den Begriff Fotocollage im Lexikon (siehe S. 100) nach.
- Woran erkennt man, dass es eine Fotocollage aus zwei Bilder ist? Begründe!

Gruppe 4 bespricht die Bilder rechts und links unten.
Die Kinder stellen fest,

- dass das Bild so übermalt wurde, dass der Alltagsgegenstand in einen veränderten Kontext erscheint.
- dass dazu Wachsmalkreiden (Ölpastellkreiden) verwendet wurden.

Möglicher Arbeitsauftrag:

- Sieh dir die Fotos genau an!
- Was wurde fotografiert?
- Wie wurde dann weitergearbeitet?
- Was erkennst du zuerst, wenn du nur kurz auf das Bild schaust?
- Sieh dich im Klassenzimmer um. Findest du einen Gegenstand, den du auf diese Weise verändern kannst?

Abschluss

Im anschließenden Künstlertreff (KV Reflexionskarte) werden die Ergebnisse aus den einzelnen Gruppen zusammengefasst.

Nun bist du an der Reihe! – Mit Fotos weiterarbeiten

Kommentar zu Seite 71

Material
- Schulkamera
- evtl. Kamera einzelner Schüler
- KV Reflexionskarte

Unterrichtsplanung

Einstieg

Zunächst brauchen die Kinder Fotografien, die sie verändern können.
Ausgangspunkt ist deshalb AA 1: Überlege dir ein Motiv für deine Fotocollage.
Die Kinder dürfen selbstständig mit den bisherigen Erkenntnissen auf Motivsuche gehen.

Unterrichtsablauf

L: Du hast viele Möglichkeiten kennengelernt, wie man ein Foto verändern kann.
Gehe nun selbst als Fotograf los. Finde ein interessantes Motiv. Passt es zu deiner Idee?
Fotografiere dein Wunschmotiv und überlege, wie du es verändern willst.

Die Lehrkraft druckt bis zur nächsten Stunde die benötigten Vorlagen für die Kinder aus.

L: Wenn du dein Bild gleich bearbeitest, musst du einiges beachten. Der Kater hat einen Tipp für dich.

Bezug auf den großen Kater nehmen:
- Wenn du ein Foto zerschneidest und neu zusammensetzt, nennt man das Fotocollage.
- Achte bei deiner Fotocollage darauf, dass am Ende wieder ein Bild zu erkennen ist.

Die Kinder setzen ihre Idee praktisch um.

Abschluss

Gemeinsames Betrachten und Vorstellen der Bilder im Künstlertreff (KV Reflexionskarte):

Evaluation der Ergebnisse:
- Wie hat sich das ursprüngliche Motiv verändert?
- Wie wirkt das Bild nun auf mich? (Evtl. mit dem Ursprungsfoto vergleichen.)

Jetzt weiß ich schon viel mehr! – Fotos verändern

Kommentar zu Seite 72

Material
- Schülerbuch
- KV Reflexionskarte „Künstlertreff"
- KV 55, 56

Unterrichtsplanung

Einstieg

Kinder und Lehrkraft treffen sich zum Künstlertreff (KV Reflexionskarte) im Kreis.
Die eigenen Fotocollagen liegen nochmals in der Mitte.
L: Das Motiv eines Fotos verändert sich, wenn ich das Foto bearbeite.
Die Schüler äußern sich und beschreiben, wie sie die Fotos verändert haben (ergänzt, übermalt ...).

Künstlertreff

Die Lehrkraft legt die Wortkarte „Fotocollage" (KV 56) dazu.
L: Wir haben eine neues Wort für unsere Wortschatzkiste.
Die Schüler nennen den Begriff „Fotocollage" und beschreiben, was man darunter versteht.

Die Veränderung der Bildwirkung wird nochmals angesprochen.
L: Manchmal kann das Motiv auch etwas ganz einfaches sein.
Die Lehrkraft lenkt die Aufmerksamkeit auf die Gedanken des kleinen Katers.
Bezug zum großen Kater:
L: Manchmal verwandelt sich der Gegenstand selbst!
Die Kinder äußern sich zu den Bildern und zur Sprechblase.

Nun bietet sich eine themengebundene Veränderung eines vorgegebenen Motivs an.
Bearbeiten von AA S. 72: Was wird aus deinem Stuhl oder Karton?

Die Kinder einigen sich in der Gruppe auf einen Alltagsgegenstand (Stuhl, Karton ...)
Die Ideen zur Veränderung werden in einer „Placemate" gesammelt (KV 55).
AA 2: Die Schüler fotografieren sich in der benötigten Ausgangsstellung.
Beispiele für StuhL: Auto, Pferd, Haus, Lok, Kutsche ... und für Karton: Flugzeug, Schlitten, Auto, Boot, Haus, Zugwaggon, Fesselballonkorb ...

Ausblick

Die Kinder setzen ihre Idee in einer weiteren Gestaltungsphase um. Die fotografierte Szene wird ausgedruckt, auf einen Hintergrund geklebt und die Umgebung dazu gestaltet. Die Gestaltungstechnik ist dabei frei wählbar.

Gestaltete Umwelt II

Kommentar zu den Seiten 73 – 80

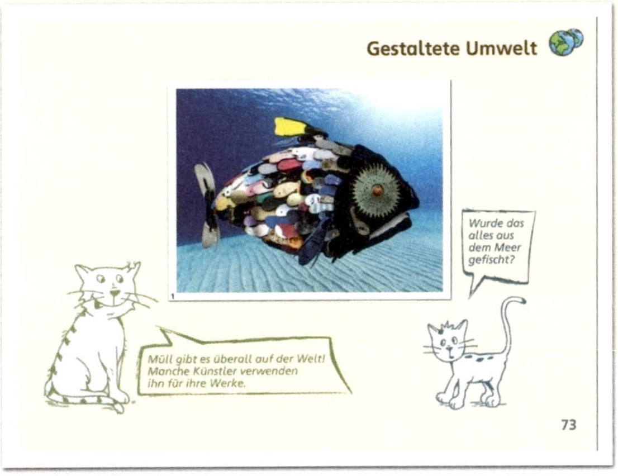

Material
- Schülerbuch
- Fühlsäckchen mit verschiedenen Materialien

Sequenzübersicht

Gestaltete Umwelt II

- **Ist das Kunst oder kann das weg?**
- So geht's: Material verbinden
- Damit geht's: Werkzeuge
- So geht's: Mit Werkzeugen arbeiten
- Mein Recycling-kunstwerk

Sachinformation

Die Vielfalt moderner Materialien hat auch die Gestaltung zahlreicher Kunstwerke beeinflusst. „Müll" ist zu einem beliebten Werkstoff geworden und Recycling oder Upcycling dient nicht mehr nur der Umwelt, sondern auch der Kunst. Dabei geht es häufig nicht nur um die Weiterverarbeitung eines günstigen Rohstoffs. Viele Künstler setzen das Material gezielt in Szene, um ihm eine bestimmte Symbolik zu verleihen. Die Kinder werden in diesem Kapitel dazu angeleitet, sich mit Kunst aus Alltagsmaterialien auseinanderzusetzen. Sie erkennen, dass die künstlerische Umsetzung unter dem Aspekt der Inszenierung auch einen Mitteilungscharakter haben kann. In der praktischen Auseinandersetzung entwickeln sie einen verantwortlichen Umgang mit Materialien und Werkzeugen und bauen ein erstes Bewusstsein für Aspekte der Nachhaltigkeit auf.

Informationen zum Kunstwerk

Kunstwerk	Künstler – Kunstepoche	Wissenswertes
„Miss Flip-Flop", 2011, Skulptur aus gestrandeten Flip-Flops und Taucherflossen	Luis de Dios, Xandi Kreuzeder, João Parrinha	Die Künstler Luis de Dios, Xandi Kreuzeder und João Parrinha haben sich unter dem Namen „Skeleton Sea" zusammengeschlossen. Im Laufe der Jahre haben die drei Künstler verschiedene individuelle und gemeinsame Kunstwerke geschaffen. Ihre einzigartigen Skulpturen sollen das Bewusstsein für die Sauberhaltung der Meere und einen verantwortlichen Umgang mit den Ressourcen unseres Planeten schärfen. Die Kunstwerke von Skeleton Sea bestehen aus Treibholz, Strandgut und abgewetterten, scheinbar unnützen Materialien. Sie werden zu skelettartigen Objekten und verschiedenen Installationen verarbeitet, die alle die übergeordnete Botschaft „Keeping the oceans clean!" transportieren sollen. Nähere Informationen findet man unter: *www.skeletonsea.com*

Unterrichtsplanung

Die Kinder sitzen im Kreis, die Lehrkraft hat ein Fühlsäckchen mit Hinweisen auf das Meer (z. B. Muscheln, Sand in einer kleinen Flasche, Sonnencreme, Badehose, evtl. Flip-Flops) vorbereitet.

L: Unsere Katzen waren wieder in Sachen „Kunst" unterwegs. In meinem Fühlsäckchen findest du Hinweise, wo sie gewesen sind.

Die Schüler suchen die Sachen heraus und äußern sich dazu

- Sie waren im Urlaub.
- Sie müssen am Meer gewesen sein, weil …

L: Warst du auch schon einmal am Meer? Wie war es da?

Die Schüler berichten frei.

L: Natürlich haben unsere Katzen wieder etwas für ihr Museum mitgebracht. Diesmal ist es eine ganz ungewöhnliche Skulptur von ganz besonderen Künstlern.

Gemeinsames Betrachten der Auftaktseite im Schülerbuch.

Die Schüler äußern sich frei und stellen erste Vermutungen an bezüglich Material, Aufbau oder eventuell Zweck des dargestellten Kunstwerks.

Die Lehrkraft nimmt Bezug zu den Sprechblasen der Katzen.

L: Sieh dir den Fisch noch einmal genau an. Woraus besteht er?
Was meinst du, wieso haben die Künstler so einen Fisch gestaltet?

Gemeinsam wird reflektiert:

- Weil sie die Meere schützen wollen, …
- Weil sie andere auf die Verschmutzung der Meere aufmerksam machen wollen, …

Die Lehrkraft stellt die Gruppe Skeleton Sea und ihre Idee vor. Unter anderem erfahren die Kinder dabei, dass Müll künstlerisch weiterverarbeitet werden kann.

Überleitung:

L: Es gibt noch viele andere Künstler, die auf ähnliche Weise arbeiten.

Kunst aus Müll

Kommentar zu den Seiten 74 – 75

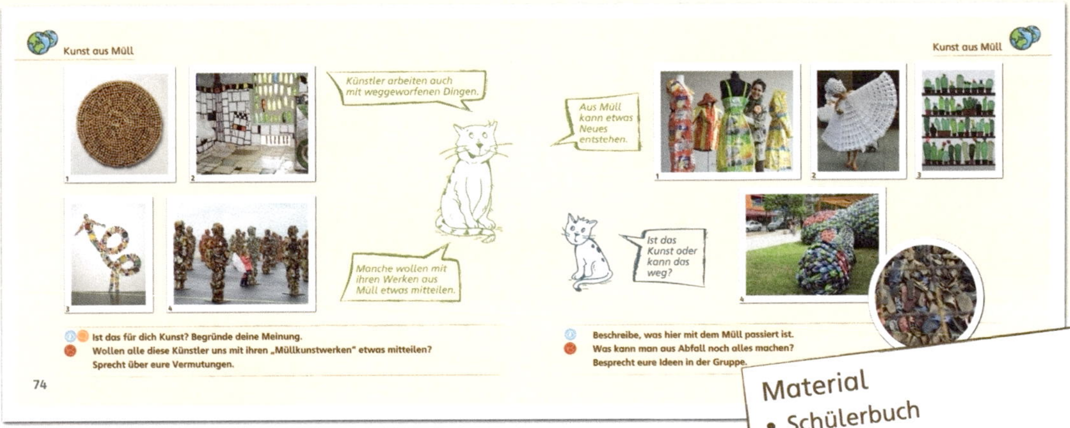

Material
- Schülerbuch
- Fühlsäckchen
- verschiedenes Material passend zu Abbildung S. 74

Unterrichtsplanung

Einstieg

Die Kinder kommen im Kreis zusammen.
Die Lehrkraft präsentiert erneut ein Fühlsäckchen, in dem sich verschiedenes Material passend zu S. 74 befindet (z. B. Korken, Plastikbecher, Blechdose, Flasche, Papier, Tüte, PET-Flasche).
Die Schüler holen die Materialien heraus und benennen sie.

Unterrichtsablauf

L: Verschiedene Künstler haben mit diesen Materialien gearbeitet. Kannst du dir vorstellen, was sie damit gemacht haben? Tausche dich in deiner Gruppe aus.
Die Schüler vermuten.
L: Wir wollen in unserem Buchmuseum sehen, ob deine Idee dabei ist.
Gemeinsames Betrachen der Bilder auf S. 74.
L: Sieh dir die Bilder genau an. Welches Material haben die Künstler verwendet? Wie haben sie es verarbeitet?
Die Schüler erzählen zu den Bildern.
L: Ist das auch Kunst für dich?
Die Schüler erzählen und begründen ihre Entscheidung.
L: Was meinst du, wieso haben die Künstler das Material so verwendet? Tausche dich im Murmelgespräch aus.

Bezug auf die Sprechblase der Katze nehmen: „Manche Künstler wollen mit ihren Werken aus Müll etwas mitteilen."
Bearbeiten von AA 2:
L: Du hast bestimmt schon eine Idee, welche Künstler (von Seite 74) dir etwas mitteilen wollen.
Die Schüler tauschen sich aus und begründen.
L: Aus Müll kann auch etwas Neues entstehen.
Sieh dir nun die Bilder auf S. 75 an. Was ist hier mit dem Müll passiert?
Die Schüler greifen die Bildbeispiele auf:
Bild 1: Kleidung aus Tüten, Bild 2: Kleidung aus Papier, Bild 3: Kakteen aus PET-Flaschen, Bild 4: Affe aus Flip-Flops
L: Da sind viele schöne Ideen dabei. Was kann man aus Müll noch alles machen? Besprecht euch in der Gruppe.
Die Schüler überlegen und äußern sich (evtl. Ideen im Skizzenheft sammeln).

Abschluss

L: Auch wir wollen mit „Müll" aus unserer Umgebung gestalten. Dazu müssen wir verschiedenes Material sammeln.

Gemeinsam besprechen, was und wo gesammelt werden soll.
Tipp: Bei verwendetem Material auf Hygiene achten und ggf. abwaschen.

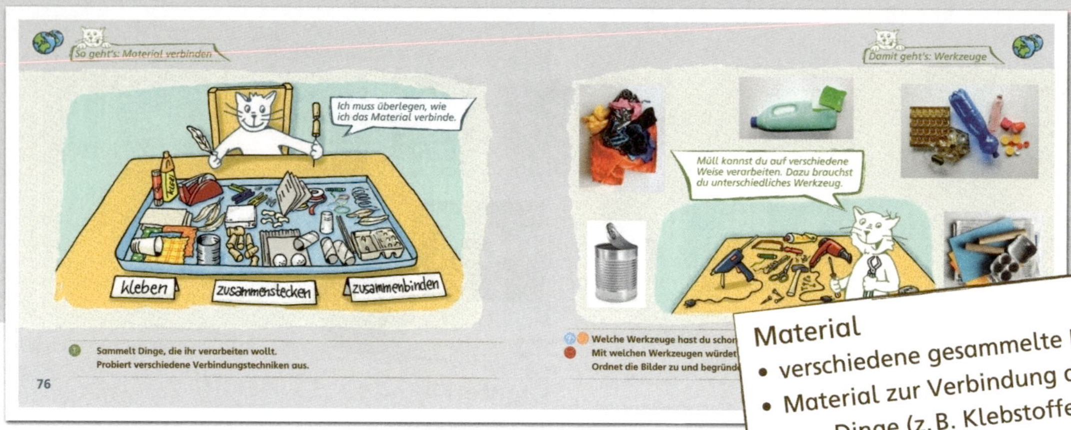

Material

- verschiedene gesammelte Materialien
- Material zur Verbindung der verschiedenen Dinge (z. B. Klebstoffe, Heißkleber, Draht, Gummiringe, Schaschlikspieße, Zahnstocher …)
- KV 57–59

Unterrichtsplanung

Einstieg

Auf einem Materialtisch werden die verschiedenen Materialien zur Verbindung angeboten.
Die Kinder stellen vor, was sie gesammelt haben und benennen die verschiedenen Materialien.
Kurzes Brainstorming.
L: Hast du schon eine Idee, mit welchem Material du arbeiten willst?
Die Schüler äußern sich dazu.

Unterrichtsablauf

L: Bevor wir mit unseren Müllkunstwerken beginnen können, müssen wir uns einiges überlegen.
Die Lehrkraft stellt die Wortkarten „kleben", „zusammenstecken" und „zusammenbinden" vor (KV 57–59).
Die Schüler lesen die Wortkarten, äußern sich und ordnen Materialien den Wortkarten zu.
Explorationsphase:
L: Probiere möglichst verschiedene Möglichkeiten aus, wie du Material verbinden kannst.
Gemeinsame Evaluierung der Erfahrungen:

- Papier kann ich am besten verbinden, wenn …
- Die Zahnstocher brauche ich für …
- Zusammenstecken funktioniert gut bei …
- … muss ich zusammenbinden
- Kleben kann ich …

Überleitung auf S. 77:
L: Ich kann Dinge nicht immer sofort miteinander verbinden, manchmal brauche ich Werkzeuge dazu.
Die Schüler betrachten die Abbildung auf S. 77 und beschreiben die Werkzeuge.
AA 1: Welche Werkzeuge hast du schon verwendet? Wie hast du sie eingesetzt?
Die Schüler äußern sich und benennen dabei die einzelnen Werkzeuge mit den richtigen Fachbegriffen.
AA2:
L: Sieh dir das Material auf den Bildern genau an. Was will der Kater verarbeiten?
Die Schüler benennen das Material (Stoff, Plastikflasche, Verpackungsmaterial, Blechdose, Papier, Pappe …).
L: Mit welchen Werkzeugen würdest du die Gegenstände bearbeiten. Besprich dich in deiner Gruppe.

Abschluss

Zusammenfassung der Ergebnisse der einzelnen Gruppen mit Begründung.

So geht's: Mit Werkzeugen arbeiten

Kommentar zu Seite 78

Material
- Schülerbuch
- PET-Flaschen, Dosen, Papier
- Werkzeuge aus der gesamten Einheit

Unterrichtsplanung

Einstieg

Auf einem Materialtisch werden die verschiedenen Werkstoffe bereitgestellt. Es geht darum, den Kindern ein Gefühl für die Materialien und Werkmittel zu geben bevor sie einige Ideen zur Verarbeitung entwickeln. Gemeinsames Betrachten der Abbildungen auf S. 78.

Unterrichtsablauf

L: Sieh dir die Ergebnisse der Kinder an.
- Womit haben sie gearbeitet?
- Welches Werkzeug haben sie dabei verwendet?

Die Schüler beschreiben die Ergebnisse und vermuten, was, wozu, wie verwendet wurde.
- Blechritter aus Dosen und Kronkorken: Die Löcher für die Schnüre müssen mithilfe von Hammer und Nagel „herausgeklopft" werden, um die Schnur anschließend einfädeln zu können.
- PET-Krake: Mit einem Messer wird der Boden entfernt, die Flasche wird längs nach oben eingeschnitten; anschließend von unten föhnen, bis sich die „Beine" nach oben ziehen.
- Burg aus Papier: Zur Stabilität wurden die Kanten mit Paketband verstärkt.
- Laster aus Spülflasche: Ladefläche wurde mit einem Messer seitlich und von oben eingeschnitten und abgetrennt. Die Deckelräder sind mit Schaschlikspieß als „Achse" verbunden.

Abschluss

L: Du hast nun verschiedene Materialien und Werkzeuge kennengelernt. Hast du schon eine Idee? Womit würdest du nun gern arbeiten, was möchtest du gern ausprobieren?

Nun bist du an der Reihe! – Müllkunstwerke

Kommentar zu Seite 79

Material
- verschiedene zuvor gesammelte Materialien
- Werkzeuge der gesamten Einheit

Unterrichtsplanung

Einstieg

Die Lehrkraft bereitet auf einem Materialtisch die verschiedenen Werkzeuge vor.
Gemeinsames betrachten von S. 79.
L: Müll kann ich auf verschiedene Weise verarbeiten. Lies was der kleine Kater dazu meint.
Bezug zur Sprechblase vom kleinen Kater: „Mache ich etwas zum Anschauen oder zum Benutzen?"

Unterrichtsablauf

Gemeinsamer Austausch darüber, wie die Kinder das Müllprojekt angehen wollen, ggf. Ideensammlung als Cluster.

AA 1 Was willst du aus Müll gestalten?
Die Schüler stellen Ideen vor.

L: Sieh dir an, welches Material und welche Werkzeuge ich schon vorbereitet habe. Passen sie zu deiner Idee? Brauchst du noch andere Dinge oder Werkzeuge? Schreibe das, was du noch benötigst, auf.
Die Schüler erstellen eine Liste.

Ausblick:
L: Sammle bis zum nächsten Mal Material für dein Projekt.
Setze deine Idee um.

Abschluss

Wo wollen wir unsere Kunstwerke ausstellen? Sucht einen Platz dafür.

Jetzt weiß ich schon viel mehr! – Mit Müll arbeiten

Kommentar zu Seite 80

Material
- Schülerbuch
- KV Reflexionskarte „Künstlertreff“
- KV 57–59

Unterrichtsplanung

Einstieg

Kinder und Lehrkraft treffen sich zum Künstlertreff (KV Reflexionskarte) im Kreis.
Die Lehrkraft legt „Ist das Kunst, oder kann das weg?“ (KV 57) und das Fühlsäckchen mit den Meeresutensilien vom Anfang der Einheit in den Kreis.
L: Erinnere dich noch einmal zurück.

Künstlertreff

Die Schüler fassen zusammen:
- Künstler haben aus Meeresmüll Kunstwerke gemacht.
- Manche wollen etwas mitteilen.

Die Lehrkraft legt die Wortkarten „kleben“, „zusammenstecken“ und „zusammenbinden“ (KV 57–59) sowie ein paar Werkzeuge in den Kreis dazu.

L: Du weißt noch mehr zum Thema Müll? Lies die blaue Sprechblase. Findest du Wörter für unsere Wortschatzkiste?
Die Schüler lesen auf S. 80 und fassen zusammen.

Weiterführende Aufgabe:
Bezug zu den Sprechblasen des Katers herstellen.
Info: Das Kunstwerk des chinesischen Aktionskünstlers Ai Wei Wei war ursprünglich ein Tor, bestehend aus einzelnen miteinander verbundenen Holztüren. Ausgestellt war es 2007 auf der Documenta 12 in Kassel. Eine Windhose ließ das Kunstwerk damals einstürzen.
Gemeinsam wird das Kunstwerk von Ai Wei Wei betrachtet, die Kinder vermuten, was da passiert ist.

Ausblick

Die Lehrkraft nimmt Bezug auf die Sprechblase des Katers; anschließend wird gemeinsam der Gestaltungsauftrag besprochen.
AA 1: Auch Kunstwerke aus der Natur kann ich weiterverarbeiten.

Gehe in deiner Umgebung auf Spurensuche und sammle Material.
Gestalte etwas Neues daraus und stelle es vor.

Fantasiewelten II

Kommentar zur den Seiten 81 – 88

Material
- Zahlenkärtchen 1 und 2 oder verschiedenfarbige Muggelsteine
- Hörbeispiele mit einem lustigen und einem dramatischen (instrumentalen) Lied

Sequenzübersicht

Fantasiewelten II

- **Wie Bilder wirken können**
- **So geht's: Geschichten spielen**
- **Unser Theaterstück**
- **Bilder zur Musik**
- **Mein Bild nach Musik**

Sachinformation

Gerade Kinder sehen in vielen Bildern weit mehr als manche Erwachsene. Mithilfe ihrer kindlichen Vorstellungskraft „lesen" sie in den Kunstwerken ganze Geschichten. Es gilt in diesem Kapitel, die Kinder an die Hand zu nehmen und ihnen Möglichkeiten aufzuzeigen, wie sie ihre eigene Kreativität für das Umsetzen dieser Geschichten nutzen können. Dabei lernen sie verschiedene Möglichkeiten der Darstellung kennen, aber auch, dass der schauspielerische Ausdruck, das Theaterspielen und das Geschichtenerzählen ebenfalls ein Bereich der Kunst ist. Eine Steigerung der Imaginationsfähigkeit und eine Schulung des genauen Hinhörens sowie das Visualisieren des Gehörten bietet das Malen nach Musik in diesem Kapitel. Die Kinder werden dazu angeregt, Fantasien – völlig gegenstandslos und abstrakt – frei nach akustischen Eindrücken aufs Papier zu bringen.

Informationen zum Kunstwerk

Kunstwerk	Künstler – Kunstepoche	Wissenswertes
„Der berühmte Träumeschmied", 1959, Öl auf Leinwand, 92 × 72,7 cm, The Jeffrey Loria Collection, New York	Max Ernst (1891 – 1976)	Max Ernst gilt als einer der wichtigsten Vertreter des deutschen Surrealismus und Dadaismus. Das Zeichnen lernte er von seinem Vater Philipp Ernst. 1910 zog er nach Bonn, um Kunstgeschichte zu studieren, und schloss sich den Expressionisten um August Macke an. Schnell suchte er allerdings nach neuen Wegen in der Kunst und gründete 1918 zusammen mit Hans Arp die Kölner Dada-Gruppe. Seine Ideen holte sich Max Ernst aus seinen Träumen und Fantasien. Oft versuchte er in seinen Werken die Grenze zwischen Traumwelt und Wirklichkeit aufzuheben. Bekannt wurde er auch für die von ihm entwickelten Techniken der „Frottage" oder „Grattage".
„Antigua", 2010, Acyl auf Leinwand, 80 × 80 cm	Hans Langner (*1964)	Wegen eines seiner Hauptmotive, dem Vogel, ist Hans Langner auch als „Birdman" bekannt. Von 2000 bis 2013 lebte er im Ratzenwinkel in Bad Tölz. Hier ist auch sein Künstlerhaus, das Galerie und Atelier zugleich ist. Einen Rundgang durch die Galerie ist auf seiner Homepage unter *www.birdman.de* möglich. Hier findet man viele weitere Hinweise zu seiner Arbeit.

Unterrichtsplanung

Ausgangspunkt ist das gemeinsame Betrachten der Kunstwerke auf S. 81.
Bezug zur Sprechblase herstellen: Das Motiv ist gleich, trotzdem wirken die Gemälde verschieden.

L: Betrachte still beide Bilder. Ich spiele nach ein paar Minuten zwei unterschiedliche Musikstücke ein.
Höre gut zu und entscheide, welches Bild zu Musikstück 1 passt und welches zu Musikstück 2.
Lege dein Zahlenkärtchen verdeckt zu dem Bild, das du ausgewählt hast.

Die Schüler betrachten die Bilder und ordnen verdeckt die Zahlenkarten 1 und 2 zu.

Auf Kommando drehen die Kinder ihre Zahlenkärtchen herum. Die meisten werden die lustige Musik dem rechten Bild und dem linken Bild die dramatische Musik zugeordnet haben.

L: Du kannst mir sicher erklären, warum du dich so entschieden hast.

Die Schüler begründen ihre Entscheidung und leiten damit zum genaueren Betrachten und Begründen über.

Wie Bilder wirken können

Kommentar zu den Seiten 82 – 83

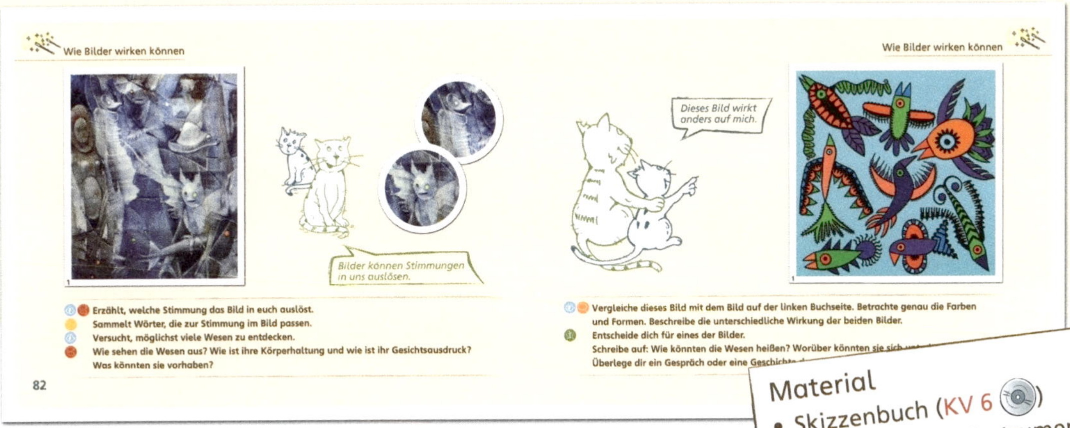

Material
- Skizzenbuch (KV 6)
- Hörbeispiel mit instrumentaler Musik

Unterrichtsplanung

Einstieg

Bearbeitung von AA 1:

L: Wir betrachten nun zuerst das Bild auf S. 82 genauer. Erzählt euch im Murmelgespräch, welche Stimmung das Bild in euch auslöst und begründet.

Unterrichtsablauf

AA 2:

L: Welche Wörter fallen dir zu diesem Bild und seiner Stimmung ein?
Sammelt sie in der Gruppe und notiert sie in euer Skizzenbuch (KV 6).

Die Schüler sammeln Begriffe z. B.:
- unheimlich
- geheimnisvoll
- Monster
- Geistertreffen

Gemeinsames Festhalten einiger Beispiele aus der Wortsammlung an der Tafel.

AA 3:

L: Versucht, möglichst viele Wesen zu entdecken.

Die Schüler betrachten noch einmal eingehend, ggf. mit Lupe.

L: Der Maler des Bildes, Max Ernst, nannte es: „Der berühmte Träumeschmied".

Die Schüler vermuten, warum er das Bild so nannte, ob und wer darauf der Träumeschied sein könnte und was ein Träumeschmied macht.

AA 4:

Die Schüler erledigen den letzten Arbeitsauftrag auf S. 82 (Wie sehen die Wesen aus? Was könnten sie vorhaben?). Kurzes Blitzlicht über die Ideen.

Überleitung zu S. 83.

L: Vergleiche nun dieses Bild mit dem Bild auf der nächsten Seite. Welche Wörter fallen dir hier als erstes ein?

Gemeinsames Sammeln und Fixieren einer Auswahl erster Eindrücke an der Tafel, z. B. lustig, fröhlich, Fasching, Zauberwesen, Unterwasserwelt.

AA 1:

L: Legt in eurem Skizzenbuch eine Tabelle an. Vergleicht in beiden Bildern die Farben, Formen und Stimmungen miteinander und schreibt sie auf.

Die Schüler betrachten mithilfe dieser gezielten Arbeitsauftäge die Bilder genauer und erarbeiten sich mögliche Inhalte für spätere Ideen.

AA 1: Worin unterschieden sich die Gesichter? Was haben sie gemeinsam?

AA 2:

L: Entscheide dich nun für eines der beiden Bilder. Lass deiner Fantasie freien Lauf und höre auf die Geschichte, die dir das Bild vielleicht erzählt. Schreibe diese Geschichte in wenigen Sätzen in dein Skizzenbuch.

Die Lehrkraft spielt leise im Hintergrund instrumentale Musik ein, während die Kinder ihre Geschichten aufschreiben.

Abschluss

Die Kinder stellen in Gruppen ihre Geschichtenideen vor. Erste Ideen für eine Umsetzung als Theaterstück werden gesammelt.
Vorbereitende Hausaufgabe: Kinder bringen Spielfiguren mit.

So geht's: Geschichten spielen

Kommentar zu Seite 84

Material
- evtl. Handpuppen, Fingerpuppen, Stabfiguren mitbringen (lassen)
- Bücher zum Thema Theater, Schauspiel, Pantomime …
- PC, Tablet, Laptop mit Internetzugang
- Hörbeispiele mit Instrumentalmusik
- Festes Papier, Karton für Schattenfiguren, Schaschlikspieße, Federn, Transparentpapier, Märchenwolle, Scheren, Kleber
- Stoffe, Tonkarton für Kostüme (von Kindern auch für Folgestunde mitbringen lassen)

Unterrichtsplanung

Einstieg

Ausgangspunkt ist das gemeinsame Betrachten der Abbildungen.
Die Lehrkraft legt verschiedene Beispiele für Spielpuppen in den Kreis.
Ggf. stellen die Kinder ihre mitgebrachten Puppen vor.

Unterrichtsablauf

Gemeinsames Lesen der Katzen-Sprechblasen:
„Das Spielen von Geschichten gehört auch zur Kunst."

Die Schüler äußern sich dazu.

AA 1:
L: Hast du solche Spielformen auch schon gesehen?
Die Schüler berichten und nennen evtl. schon die verschiedenen Spielformen.

AA 2: Finde heraus, wie man die verschiedenen Spielarten nennt.

Die Schüler dürfen am PC oder in Büchern, die die Lehrkraft mitgebracht hat, die verschiedenen Spielformen suchen und deren Namen herausfinden.

Abschluss

Überleitung zur Gestaltungseinheit S. 85:
L: Denke noch einmal an die beiden Bilder mit den Traumwesen. Wir wollen ein Theaterstück dazu spielen. Du hast vielleicht schon eine Idee, womit du gern spielen würdest.

Nun bist du an der Reihe! – Szenisch gestalten

Kommentar zu Seite 85

Überlegt euch ein kleines Theaterstück zu einem der beiden Bilder auf Seite 81.
Entscheidet gemeinsam, auf welche Art ihr die Geschichte spielen wollt.
Denkt an die verschiedenen Spielformen, die ihr kennengelernt habt.
Übt euer Stück und stellt es in der Klasse vor.
85

Unterrichtsplanung

Einstieg

AA 1: Überlegt euch ein kleines Theaterstück zu einem der beiden Bilder auf S. 81.

L: Ihr habt euch schon Gedanken gemacht!

Die Schüler stellen erste Ideen vor.

Unterrichtsablauf

L: Bevor ich ein Theaterstück spielen kann, muss ich den Text aufschreiben.

Die Schüler verschriften gemeinsam ihre kleine Theatergeschichte im Skizzenbuch (KV 6).

AA 1: Entscheidet gemeinsam, auf welche Art ihr die Geschichte spielen wollt.

L: Überlegt, wie viele Rollen gespielt werden müssen, ob ein Erzähler vielleicht sinnvoll wäre, ob ihr Musik dazu braucht und jemanden der die Musik bedienen muss.
Denkt auch an die verschiedenen Spielformen, die wir kennen gelernt haben.

Die Kinder entscheiden sich für eine Spielform, z. B.:
- Schattentheater
- Puppentheater
- sich selbst spielen

Sie gestalten entsprechend ihre Rollen aus und fertigen an:
- Skizzen für Kostüme
- Entwürfe für Stabfiguren auf fester Pappe

AA 2: Übt euer Stück ein und stellt es in der Klasse vor.

Die Schüler verteilen die Rollen und studieren ihr Theaterstück ein. Sie suchen ggf. passende Musik zu ihrem Stück heraus.

Abschluss

Evaluierung der Ergebnisse
- Vorstellungstag: Alle Gruppen spielen ihr Theaterstück den restlichen Kindern vor.
  Tipp: Einladen anderer Klassen oder Eltern zur Aufführung
- Rückmeldung an jede Gruppe:
  „Besonders gut fand ich …"
  „Mein Tipp für euch wäre noch …"

Bilder zu Musik – Wie Bilder wirken können

Kommentar zu Seite 86

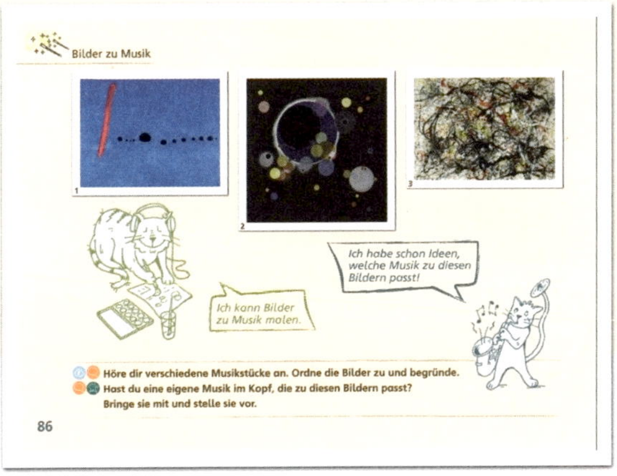

Material
- Skizzenbuch (KV 6)
- Auswahl an Hörbeispielen mit Instrumentalmusik (möglichst unterschiedlichen Rhythmen und Tempi)
- nach Möglichkeit: mehrere CD-Player oder andere Abspielgeräte und Kopfhörer

Unterrichtsplanung

Einstieg

L: Du hast für dein Theaterstück eine passende Musik ausgewählt. Da hattest du schon ein gutes Gespür dafür, welche Musik passt. Schaue dir nun die Bilder auf S. 86 an.

Unterrichtsablauf

Die Kinder betrachten die drei Bilder und lesen die Sprechblase des kleinen Katers:
„Ich habe schon Ideen, welche Musik zu diesen Bildern passt!"
Die Schüler äußern sich daraufhin, wie die Musik zu den jeweiligen Bildern sein könnte.

AA 1: Höre dir verschiedene Musikstücke an. Ordne die Bilder zu und begründe.

L: Ich spiele dir jetzt hintereinander drei Musikstücke vor. Notiere in dein Skizzenbuch (KV 6) zu jeder Musik die Nummer des Bildes, von dem du meinst, dass es am besten dazu passt.
Die Schüler hören sich die Musikstücke an und notieren ihre Reihenfolge. Anschließend begründen sie ihre Auswahl.

L: Du siehst, nicht für jeden passt dieselbe Musik zu dem Bild, die du passend findest.

AA 2: Wenn dir eine Musik einfällt, die zu einem der Bilder gut passt, bringe sie das nächste Mal mit und stelle sie vor.

Abschluss

Überleitung zur Gestaltung auf S. 87.
L: Der große Kater hat eine andere Idee.
Die Schüler lesen auf S. 86 Sprechblase: „Ich kann Bilder zu Musik malen."

Nun bist du an der Reihe! – Malen zu Musik

Kommentar zu Seite 87

Material
- Skizzenbuch (KV 6)
- Auswahl an Hörbeispielen mit Instrumentalmusik
- Nach Möglichkeit: mehrere CD-Player oder andere Abspielgeräte und Kopfhörer
- „Kunstkoffer"

Unterrichtsplanung

Einstieg

Gemeinsames Betrachten der Abbildung auf S. 87.
Die Schüler beschreiben, was die Kater am Bild tun.
Bezug zur Sprechblase herstellen: „Ich habe dir verschiedene Musikstücke mitgebracht."

Unterrichtsablauf

Die Schüler erzählen, welche Musik sie gern hören.

AA 1:
L: Zu welcher Musik würdest du gern ein Bild gestalten? Höre dir unterschiedliche Musikstücke an.

Gemeinsam werden verschiedene Musikstücke (von den Kindern mitgebrachte oder von der Lehrkraft bereitgestellte) angehört.

AA 2: Suche dir eine Musik aus und male ein passendes Bild dazu.

Gestaltungsphase:
Die Kinder dürfen sich verschiedene Musikstücke anhören und ein passendes Bild dazu gestalten. Die Werkmittel sind freigegeben oder werden von der Lehrkraft bestimmt.

Evaluierung der Ergebnisse:
AA 3: Stellt euch die Ergebnisse gegenseitig vor.

In einer Vorstellrunde darf jeder seine Musik vorspielen, sein Bild dazu zeigen und erklären.
Die anderen Kinder geben ein wertschätzendes Statement ab.

Abschluss

Die Kinder beschreiben, wie sie sich beim Malen zu Musik gefühlt haben.

Jetzt weiß ich schon viel mehr! – Märchen und Fantasiewelt

Kommentar zu Seite 88

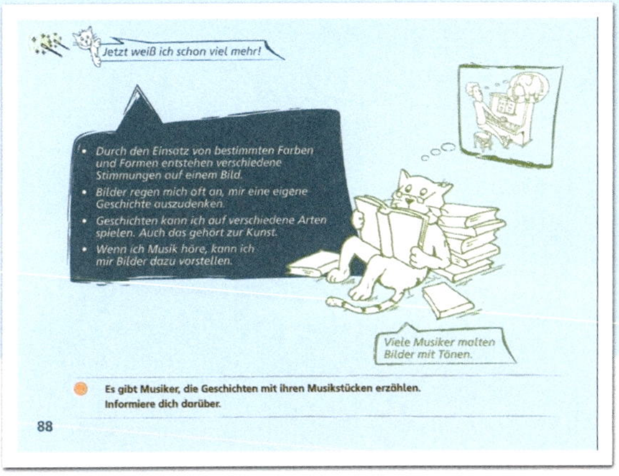

Material
- Schülerbuch
- KV Reflexionskarte „Künstlertreff“
- KV 60, 61

Unterrichtsplanung

Einstieg

Kinder und Lehrkraft treffen sich zum Künstlertreff (KV Reflexionskarte) im Kreis.
Die Lehrkraft legt die Wortkarten „Fantasie“ und „Kunst“ in die Mitte (KV 60, 61).
Die Schüler äußern sich dazu, inwiefern diese beiden Begriffe miteinander zusammenhängen:
- In meiner Fantasie entstehen Bilder.
- Diese Bilder kann ich malen …

Künstlertreff

Danach legt die Lehrkraft die Wortkarte „Geschichten“ zwischen die beiden anderen und zeigt noch einmal die beiden Bilder von S. 81.
L: Du erinnerst dich. Manche Bilder erzählen eine Geschichte.
Die Schüler äußern sich.
L: Die Stimmung in Bilder kann aber verschieden sein. Warum wirken sie unterschiedlich.
Die Schüler wiederholen:
- Die Formen bestimmen eine Stimmung im Bild.
- Die Farben auch …

L: Geschichten spielen, gehört auch zur Kunst! Wir haben wieder einige Wörter für unsere Schatzkiste gelernt.
Die Schüler fassen zusammen:
- Stabpuppenspiel, Schattenspiel, Pantomime, Schauspiel

Die Lehrkraft legt die Wortkarte „Musik“ (KV 60, 61) in den Kreis.
L: Wenn ich Musik höre, kann ich mir Bilder dazu vorstellen.
Die Schüler äußern sich und berichten über ihre Erfahrung.

Ausblick

Weiterführender AA:
L: Es gibt Musiker, die ganze Geschichten mit ihren Musikstücken erzählen.
Die Schüler vermuten: Musical, Oper …

Vorstellen von Stücken wie „Peter und der Wolf“ (Sergei Prokofjew), „Karneval der Tiere“ (Camille Saint-Saëns), „Schwanensee“/„Nussknacker“ (Peter Tschaikowsky), „Vier Jahreszeiten“ (Antonio Vivaldi) …

Bildende Kunst II

Kommentar zu den Seiten 89 – 98

Material
- verschiedene Farbkärtchen und Formvorlagen
- Schülerbuch
- Farbkärtchen aus Baumarkt, Prospekte, farbige Papier- oder Stoffreste
- Tonpapier für Plakate

Sequenzübersicht

Bildende Kunst II

- **Franz Marc: „Kämpfende Formen“**
- **Skulpturen gehören zur Kunst**
- **Experimentieren mit Farben und Formen**
- **Wer ist Franz Marc?**
- **Statisch oder dymamisch?**
- **Wer ist Alberto Giacometti?**
- **Meine Skulptur**

Sachinformation

In der ersten Jahrgangsstufe sind die Kinder mit den Grundbegriffen der Bildanalyse bereits vertraut gemacht worden und beherrschen grundlegende Fachbegriffe. Nun geht es in diesem Kapitel darum, ihren Blick für andere Darstellungsweisen in der Kunst zu öffnen, wie z. B. für abstrakte Kunstwerke oder Skulpturen. Indem sie aus abstrakten Bildelementen inhaltliche Informationen entnehmen, entwickeln sie ein positives künstlerisches Selbstkonzept. Die Kinder lernen auch, unerwartete Ergebnisse im eigenen Gestalten zuzulassen.
Über die Betrachtung von Giacomettis Werken nehmen die Kinder Skulpturen als einen Teil der Kunst wahr. Das dreidimensionale Arbeiten wird für sie zu einer neuen Form des gestalterischen Ausdrucks.

Informationen zum Kunstwerk

Kunstwerk	Künstler – Kunstepoche	Wissenswertes
„Kämpfende Formen", 1914, Öl auf Leinwand, 91 × 131 cm, Pinakothek der Moderne, München 1914 entstanden, kann das Gemälde als Vorahnung auf die Schrecken des bevorstehenden Krieges gedeutet werden. Es ist aber auch eine philosophische Deutung möglich: Licht und Finsternis verkörpern als gegensätzliche Elemente des Lebens den Widerstreit zwischen materieller und geistiger Welt.	Franz Marc (1880 – 1916)	Im Dezember 1911 gründeten Franz Marc und Wassily Kandinsky die Künstlervereinigung „Der Blaue Reiter". Der Name leitet sich aus einem Gemälde Kandinskys von 1903 ab, auf dem ein Reiter in einer Herbstlandschaft zu sehen ist. Oder wie Kandinsky einmal sagte: „Den Namen ‚Der Blaue Reiter' erfanden wir am Kaffeetisch in der Gartenlaube in Sindelsdorf. Beide liebten wir Blau, Marc – Pferde, ich – Reiter. So kam der Name von selbst." 1912 wurde ihr Almanach „Der Blaue Reiter" herausgegeben. Damit wurde die Künstlervereinigung zum Sinnbild für den Expressionismus in Deutschland. Ziel der Gruppe „Der Blaue Reiter" war, mit den alten Maltraditionen der Akademien zu brechen und Raum für neue künstlerische Ausdrucksformen zu schaffen. Ihre typische Ausdruckweise sind eine vereinfachte, später zunehmend abstrahierte Formgebung sowie starke, leuchtende und kontrastreiche Farben, die untereinander aber harmonieren. Deutlich ist das auch in Franz Marcs „Kämpfenden Formen" zu erkennen. Immer mehr löst er sich von der gegenständlichen Darstellung, auch wenn es Interpretationen gibt, die in der roten Fläche einen Adler sehen, der gegen einen Mandrill (blau schwarze Fläche) kämpft.

Unterrichtsplanung

Kurzes gemeinsames Betrachten der Auftaktseite 89 mit musikalischer Untermalung, um einen ersten Eindruck von dem Bild zu bekommen.

L: Wir wollen einmal nur mit unseren Augen durch ein Gemälde spazieren. Betrachte das Bild ruhig, ohne zu sprechen, so lange die Musik läuft.

Es folgt ein gemeinsames Gespräch über den ersten Eindruck zum Bild.

Wichtig: Die Kinder sollen ihren Eindruck begründen können.
- Ich denke bei dem Bild an … , weil …
- Für mich wirkt das Bild … , denn …

„Kämpfende Formen“

Kommentar zu den Seiten 90 – 91

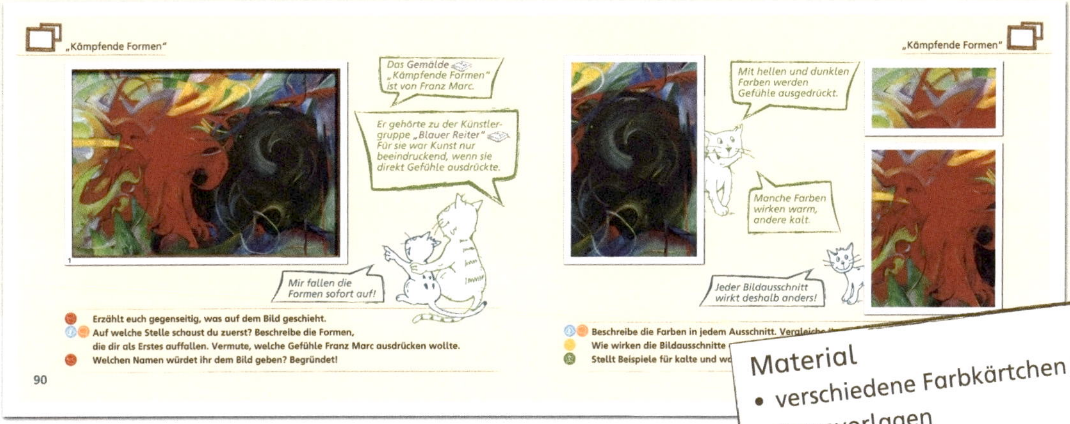

Material
- verschiedene Farbkärtchen und Formvorlagen
- Schülerbuch
- Farbkärtchen aus Baumarkt, Prospekte, farbige Papier- oder Stoffreste
- Tonpapier für Plakate
- KV 62–64
- KV 65

Unterrichtsplanung

Einstieg

Die Kinder betrachten die Abbildung S. 90.

AA 1:

L: Erzählt euch leise im Murmelgespräch, was auf dem Bild geschieht.

Die Schüler äußern sich.

Unterrichtsablauf

AA 2:

L: Auf welche Stelle schaust du zuerst? Begründe!

Die Schüler begründen.

L: Dem kleinen Kater ist auch etwas am Bild besonders aufgefallen.

Die Schüler äußern sich:
- Ihm fallen die Formen besonders auf.

L: Beschreibe die Formen, die dir als erstes auffallen.

Die Schüler verbalisieren verschiedene Formeindrücke:
- Mir fallen spitze Formen auf …
- Ich sehe runde Formen …

AA 3:

L: Dieses Bild ist von Franz Marc. Er wollte mit seinen Bildern Gefühle ausdrücken.

Die Schüler vermuten, welche Gefühle das in diesem Bild sein könnten und begründen ihre Meinung.

AA 4:

L: Du hast gute Ideen. Sicher hast du auch einen Namen für das Bild.

Die Schüler erklären, welchen Namen sie dem Bild geben würden. (Evtl. – wenn die Kinder schon den Titel gelesen haben – begründen lassen, warum Franz Marc das Bild „Kämpfende Formen“ genannt hat.)

L: Franz Marc nannte sein Bild „Kämpfende Formen“. Kannst du dir vorstellen warum?

Die Schüler begründen.

Überleitung zu S. 91:

L: Nicht nur mit Formen kannst du Gefühle ausdrücken.

Die Schüler vermuten: Auch Farben beschreiben Gefühle.

L-S-Gespräch:
- Wie wirken die einzelnen Bildausschnitte auf dich?
- Welche Gefühle lösen sie bei dir aus?

Vertiefende Information: Deckt man die grünen Flächen im Bildausschnitt rechts unten ab, verändert sich die Farbwirkung. Die Erkenntnis ist: Manche Farben bringen sich gegenseitig zum Leuchten.

AA 1:
L: Beschreibe die Farben in jedem Ausschnitt auf S. 91. Vergleiche ihre Wirkung.
Tipp: Evtl. ein Blatt zum Abdecken nehmen.
Die Schüler beschreiben:
- Links im Ausschnitt sehe ich viele dunkle Farben, das wirkt …
- Rechts oben im Ausschnitt erkenne ich hauptsächlich helle Farben und es wirkt auf mich …

Die Lehrkraft nimmt Bezug zu den Sprechblasen des großen Katers.
AA 2:
L: „Manche Farben wirken warm oder kalt." Was meint der große Kater damit? Kannst du es erklären?
Die Schüler vermuten.
Es schließt sich ein L-S-Gespräch über warme und kalte Farben an.
Eselsbrücke für Kinder: Warme Farben = Feuer; kalte Farben = Wasser/Eis (KV 65).

L: Findest du in Franz Marcs Gemälde kalte und warme Farben? Gibt es mehr warme oder kalte Farben? Was sagt dir das vielleicht?

AA 3: Gestaltungsauftrag:
Kinder sollen auf Plakaten warme und kalte Farben sammeln.

Hierfür bieten sich Farbfächer aus dem Baumarkt an oder Beispiele aus Prospekten, Reste von bunten Papieren oder Stoffen.
Tipp für die Gruppenarbeit:
Arbeitsteilung zu den Themenbereichen:

1. Warme und kalte Farben allgemein
2. Warme und kalte Farben in unserem Alltag (aus Prospekten sammeln)
3. Wo findest du kalte oder warme Farben im Schulhaus? (Fotosafari durchs Schulhaus; s. Visuelle Medien)

Die Plakate dienen auch künftig als Hilfe beim Gestalten im Kunstunterricht oder bei Betrachtungsstunden; sie werden sichtbar im Klassenzimmer aufgehängt.

Abschluss

L: Wir haben viel über die „Kämpfenden Formen" erfahren. Nun wirst du ihren Maler genauer kennenlernen.

Wer ist Franz Marc?

Kommentar zu Seite 92

Material
- Schülerbuch
- evtl. Kunstbücher zu Franz Marc oder auch die Künstlergruppe „Der Blaue Reiter"

Unterrichtsplanung

Einstieg

Gemeinsames Betrachten der Seite 92.
L: Hier kannst du nun den Künstler Franz Marc sehen. Es gibt viel Interessantes über ihn zu erfahren.

Unterrichtsablauf

Die Kinder lesen die Informations-Notizzettel durch und tauschen sich danach im Murmelgespräch aus. Es schließt sich ein L-S-Gespräch über gewonnene Informationen an:
- Hast du herausgefunden, was „abstrakt" bedeutet?
- Wer waren die „Blauen Reiter"?
- Was ist typisch für die Bilder von Franz Marc?
- Was war sein Lieblingsmotiv?

Zusatzaufgabe vom kleinen Kater:
Im zweiten Kapitel (und auch im ersten) hat sich ein Tier von Franz Marc versteckt.
Die Schüler suchen im Buch nach den Bildern.
Auflösung: Kapitel 2: S. 18 = Tiger; Kapitel 1: S. 10 = gelbe Kuh

Abschluss

L: Ich kann sofort erkennen, dass diese Bilder Franz Marc gemalt hat.
Die Schüler begründen.

Nun bist du an der Reihe! – Farbexperimente

Kommentar zu Seite 93

Nun bist du an der Reihe!

Arbeite mit einem Partner. Welche Gefühle wollt ihr miteinander kämpfen lassen? Stellt das mit Hilfe von Formen und Farben dar. Wählt die Farben so, dass sie möglichst intensiv leuchten. Ihr könnt verpusten, schütteln, malen oder kleben. Fällt euch noch mehr ein? Entscheidet euch für eine Gestaltungstechnik.

Welches Bild findet ihr besonders gelungen? Begründet!

93

Material

- Schülerbuch
- Materialienangebot im Werkstattcharakter: Farben (Schulmalfarbe, Wasserfarben …), Strohalme, Kämme, Murmeln und Schachteln, Menüteller als Farbpaletten, Schere, Kleber
- Material zum Abdecken der Tische

Unterrichtsplanung

Einstieg

Ausgangspunkt ist das gemeinsame Betrachten der Abbildung auf S. 92.

L: Die Kinder auf Seite 93 haben auch Formen und Farben miteinander „kämpfen“ lassen. Wie haben sie das gemacht?

Unterrichtsablauf

Die Schüler beschreiben verschiedene Techniken, die sie auf der Abbildung erkennen und die Lehrkraft erklärt dazu.

- Murmelbilder/Schüttelbilder: In einen Karton (*Tipp: Deckel vom Kopierpapier*) legst du ein Blatt Papier, tauchst mit einem Plastiklöffel eine Murmel in Farbe und lässt die Murmel im Karton ihre Spuren auf dem Papier ziehen; wasche danach die Murmel wieder ab, bevor du sie in eine neue Farbe tauchst. (Je nach Schüttelstärke und Farbkonsistenz gibt es unterschiedliche Ergebnisse.)
- Pinselkampf: Zwei Kinder sitzen sich gegenüber; die Farbe wird direkt aus dem Farbkasten aufs Papier gegeneinander übertragen.
- Farben verpusten mit Strohhalmen.
- Collage aus zuvor angefertigten Farbpapieren (Farben z. B. mit Walzen/Spachteln/Schwämmen auftragen, Wachsmalkreiden verwenden, wasservermalbare Buntstifte); die hergestellten Farbpapiere von zwei Kindern werden dann „kämpfend“ geklebt. (*Tipp: überlappend, in Stücken übereinander – spannungsreich aufkleben*)

AA 1: Arbeite mit deinem Partner. Welche Gefühle wollt ihr miteinander kämpfen lassen. Stellt das mithilfe von Farben und Formen dar.

Bevor Gestaltung beginnt, weist die Lehrkraft noch auf ein wichtiges Kriterium hin.
AA 1:
L: Wählt die Farben so, dass sie möglichst intensiv leuchten.

Abschluss

Die Ergebnisse der Kinder im Museumrundgang betrachten.
Museumsrundgang:
Die Kinder legen ihre Ergebnisse gut sichtbar auf ihren Platz. Während die Musik läuft, dürfen alle Kinder sich die Ergebnisse der anderen anschauen (nur mit den Augen, Hände auf Rücken verschränken).
Jedes Kind darf einen Muggelstein zu einem Bild legen und muss danach begründen, warum er dieses Ergebnis besonders gelungen findet (Achtung: Bezug zu Farben ist hier wichtig).

Skulpturen

Kommentar zu Seite 94

Material
- Schülerbuch

Unterrichtsplanung

Einstieg

Die zweite Auftaktseite führt in das Themengebiet „Skulpturen" ein. Gemeinsam betrachten die Kinder die Abbildung auf S. 94.

L: Wo sind die Kater denn nun?

Die Schüler vermuten: Sie sind immer noch im Museum …

Unterrichtsablauf

L: Hier sind ja gar keine Gemälde zu sehen!

Die Schüler nehmen Bezug auf die Sprechblase des Katers: „Skulpturen gehören auch zur Kunst."

L: Kannst du erklären, was Skulpturen sind?

Evtl. im Lexikon (siehe S. 101) nachschlagen.

L: Beschreibe diese Skulpturen. Was fällt dir auf?

Die Schüler beschreiben detailliert die Figuren (dünn, rau, dunkel, nicht wie echt, groß …).

Überleitung zur S. 95 und 96.

Abschluss

L: Künstler, die Skulpturen machen, nennt man Bildhauer.
Wir wollen uns den Bildhauer dieser Skupturen genauer ansehen.

Wer ist Alberto Giacometti?

Kommentar zu Seite 95

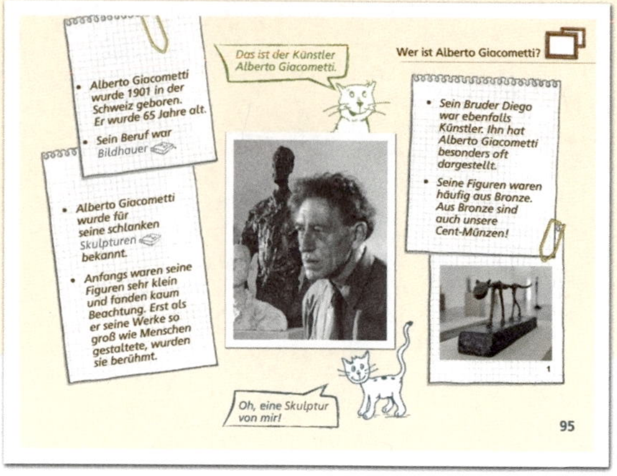

Material
- Schülerbuch
- ggf. Bildbände zu Alberto Giacometti

Unterrichtsplanung

Einstieg

L: Wir wollen uns den Bildhauer dieser Skulpturen genauer ansehen.

Die Schüler lesen die Informations-Notizzettel auf S. 95 durch und tauschen sich danach im Murmelgespräch aus.

Unterrichtsablauf

L-S-Gespräch über gewonnene Informationen:

- Was der Künstler für einen Beruf hat, weißt du schon. Hast du herausgefunden, wie er heißt?
- Wie groß sind seine Figuren?
- Wen hat er besonders oft dargestellt?
- Aus welchem Material bestehen seine Figuren?
- …

Die Lehrkraft stellt Bezug zum kleinen Kater her.

L: Giacometti hat nicht nur Menschen dargestellt.

Die Schüler beschreiben die Katzenskulptur im Hinblick auf die typische Darstellungsart von Giacometti:

- schlank
- dünn
- schwarz
- aus Bronze
- …

Abschluss

Überleitung zur Seite 96.

L: Alberto Giacometti hat noch viele andere Skulpturen geschaffen. Auf der nächsten Seite findest du einige Beispiele.

Skulpturen betrachten

Kommentar zu Seite 96

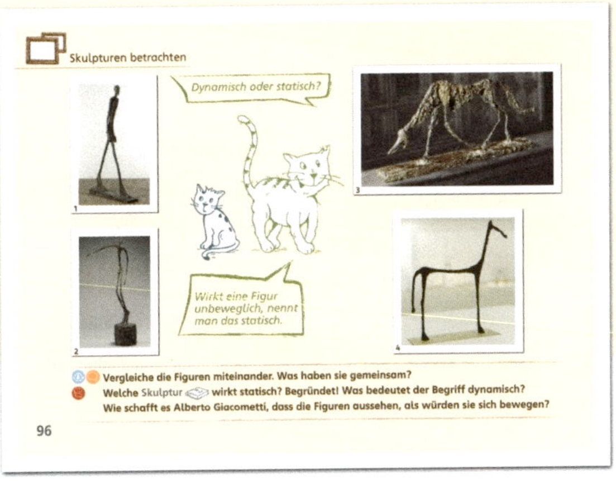

Material
- Schülerbuch
- KV 62–64

Unterrichtsplanung

Einstieg

L: Vergleicht die Figuren miteinander. Was haben sie gemeinsam?

Die Schüler betrachten die Abbildungen auf S. 96 und beschreiben:

- Zweimal sind Personen dargestellt
- Zweimal Tiere
- Sie sind alle aus Bronze.

Unterrichtsablauf

AA 1:

L: Vergleiche die beiden Skulpturen, die Tiere darstellen, miteinander. Findest du Unterschiede?

Die Schüler beschreiben sie detailliert:

- Der Hund sieht aus, als würde er laufen.
- Das Pferd steht wie eingefroren.

AA 2:

Die Lehrkraft nimmt Bezug zur Sprechblase vom großen Kater:

L: Wirkt eine Figur unbeweglich, nennt man das statisch. Welche der Figuren wirken statisch. Begründe!

Die Kinder tauschen sich im Murmelgespräch aus. Gemeinsames Zusammenfassen der Erkenntnisse.

L: Weißt du jetzt vielleicht auch, was dynamisch bedeutet? Welche Figuren auf der Seite passen dazu?

Die Schüler vermuten und nennen die jeweiligen Figuren.

AA 3:

L: Wie schafft es Giacometti, dass die Figuren aussehen, als würden sie sich bewegen?

Gemeinsames Beschreiben der Darstellungsweise Giacomettis:

- Gebogene Füße/Beine
- Arme/Beine in Bewegung
- Auf Zehenspitzen
- Körperhaltung

Abschluss

Die Kinder suchen sich einen Begriff aus (KV 62-64 Wortkarten): statisch oder dynamisch.

L: Statisch oder dynamisch? Wähle dir einen Begriff aus und stelle eine Figur in einem Standbild nach.

Die anderen Kinder beschreiben, ob eine statische oder dynamische Figur dargestellt wurde.

Nun bist du an der Reihe! – Skulpturen bauen

Kommentar zu Seite 97

Nun bist du an der Reihe!
Als Grundgerüst eignet sich Draht.
Damit deine Figur stabil steht, braucht sie einen Sockel.
Womit umwickle ich meine Figur?

Wie haben die Kinder gearbeitet?
Entscheide, ob du deine Figur dynamisch oder statisch darstellen willst. Mache eine Skizze davon. Baue ein Grundgerüst aus Draht. Probiere verschiedene Materialien zum Umwickeln aus. Wähle ein Material und umwickle dein Gerüst.
Präsentiere deine Figur auf einem passenden Sockel. Wie groß soll er sein und welches Material eignet sich?

97

Material

- Schülerbuch
- Draht, Fotokamera, Pfeifenputzer, Knete, Holzsockel, Gips, Künstlerpuppe, Material zum Umwickeln (Alufolie, Stoffe, Wolle, Papier, Klebeband, Krepppapier …)
- Skizzenbuch (KV 6)
- KV 66, 67

Unterrichtsplanung

Einstieg

Gemeinsames Betrachten der Abbildung auf S. 97.
AA1:
L: Wie haben die Kinder gearbeitet.
Die Kinder beschreiben die Abbildung, anschließend werden die Grundtechniken beim Aufbau einer Figur genau besprochen.

Unterrichtsablauf

Tafelanschrift: Ich brauche ein Grundgerüst und einen Sockel.
Die Lehrkraft hängt die Begriffe Sockel und Grundgerüst dazu (KV 66, 67: Wortkarten).

AA 2:
L: Entscheide dich, ob du deine Figur dynamisch oder statisch darstellen willst und mache eine Skizze davon.
Tipp: Wie in der Abbildung dargestellt, bedienen sich die Kinder verschiedener Hilfsmittel, z. B.:
- *ein Foto eines Standbildes machen,*
- *Künstlerpuppe verwenden,*
- *verschiedene Darstellungen „bewegter" Personen oder Tiere aus z. B. Zeitschriften, Prospekten, Bildbänden bereitstellen.*

Zwischenreflexion:
L: Kannst du erkennen, welche Figur statisch oder dynamisch sein soll?
Die Kinder vermuten und stellen ihre Ideenskizzen vor, benennen die Schwierigkeiten, geben sich gegenseitig Tipps.
Tipp: Es können natürlich auch Tiere dargestellt werden.
Arbeitsphase I: Die Kinder bauen ein Grundgerüst aus Draht oder einem anderen Material.
Explorationsphase:
Die Kinder probieren verschiedene Wickelmaterialien an einem Probedrahtstück aus. Sie entscheiden sich dann für eines und Umwickeln damit ihr Grundgerüst.

AA 3:
Arbeitsphase II: Präsentiere deine Figur auf einem passenden Sockel. Schreibe einen Namen auf Kärtchen dazu.
Tipp: Evtl müssen die Kinder ihre Figur schon während der Arbeitsphase I auf dem Sockel aufbauen.

Abschluss

Gemeinsame Feedbackrunde zu den eigenen Ergebnissen.

Jetzt weiß ich schon viel mehr! – Abstrakte Bilder und Skulpturen

Kommentar zu Seite 98

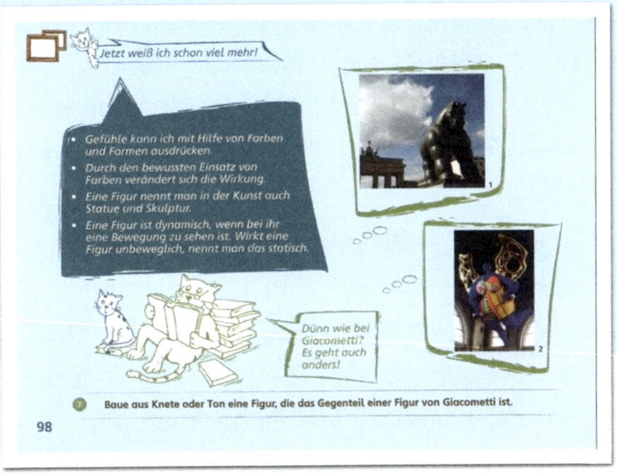

Material
- Schülerbuch
- KV Reflexionskarte „Künstlertreff"
- KV 66–68

Unterrichtsplanung

Einstieg

Kinder und Lehrkraft treffen sich zum Künstlertreff (KV Reflexionskarte) im Kreis.
Die Kinder lesen die Zusammenfassung im blauen Kasten auf S. 98.
Die Lehrkraft legt Wortkarten (KV 66–68) in den Kreis:
„Kalte und warme Farben", „abstrakt", „Statue oder Skulptur", „dynamisch-statisch".
Tipp: Alternativ die Farbplakate und Skulpturen der Kinder dazustellen.

Künstlertreff

Es folgt ein gemeinsames Gespräch mit einer Zusammenfassung der erlernten Inhalte, z. B.:
- Farben können kalt oder warm wirken.
- Gefühle kann ich mit Farben ausdrücken.
- Wenn ein Bild nur aus Farben oder Formen besteht, nennt man das abstrakt.
- Eine Figur in der Kunst nennt man auch Statue oder Skulptur.
- Dynamisch heißt …, statisch heißt …

Die Lehrkraft stellt einen Bezug zur Sprechblase des großen Katers her:
„Dünn wie bei Giacometti? Es geht auch anders."
L: Sieh dir die Abbildungen auf S. 98 im Buch an und vergleiche sie mit Giacomettis Figuren.
Die Schüler beschreiben den Engel von Niki de Saint-Phalle und das Pferd von Fernando Botero und beschreiben die Unterschiede:
- dick, farbig, rund …

Information: Fernando Botero wird auch „Anti-Giacometti" genannt.

Ausblick

AA 1: Baue aus Knete, Ton oder Salzteig eine Figur, die das Gegenteil von Giacomettis Figuren ist.

Bildnachweis

Otmar Alt, Katzentanz (1997), © Otmar Alt Stiftung / Foto: Thomas Kersten, Hamm – S. 25; 65; Archiv für Kunst und Geschichte, Berlin – S. 25 (2), 56 (2), 61, 65 (2), 67 (2), 69, 101, 102, 104, 113 , - / ANA – S. 63; - / Bildarchiv Steffens – S. 110; - / Cameraphoto – S. 141; - / Erich Lessing – S. 25, 65, 111, 149; - / VIEW Pictures, Grant Smith – S. 61; Archives H. Matisse, Issy-les Moulineaux – S. 55; Artothek, Weilheim – S. 113; - / © Blauel Gnamm – S. 118; - / © Christies Images Ltd. – S. 102

Birdman Hans Langner www.birdman.de, Kiel – S. 135, 137; Bridgeman Images / Private Collection, Berlin – S. 95; © Robert Buchanan Taylor / Alamy – S. 87;

Daimler Art Collection, Stuttgart / Berlin – S. 129; dpa Picture-Alliance / AGENCIA ESTADO, Frankfurt – S. 129; - / akg-images – S. 106, 107, 145, 147 (3); - / AP, Ben Curtis – S. 129; - / Artcolor, Victor Radnicky – S. 153; - / Christian Charisius – S. 129; - / DB Munch Museum Oslo – S. 104; - / DB Sotheby's New York – S. 153; - / EPA / Centre Pompidou-Metz, chrisatian – S. 141; - / EPA, Lindsey Parnaby – S. 118; - / Fine Art Images – S. 117; - / Rainer Jensen – S. 155; - / KEYSTONE, Gaetan Bally – S. 110, 151; - / KEYSTONE, epa Keystone Kefalas – S. 152; - / Keystone Press – S. 155; - / Louisiana Museum of Modern Art – S. 153; - / Malte Ossowski, SVEN SIMON – S. 133; - / Julian Stratenschulte – S. 153; - / Uwe Zucchi – S. 133

Fotolia / Martin Jakubowski – S. 85; - / Pavel Losevsky – S. 99; - / Dudarev Mikhail – S. 127; - / taddle – S. 25 (2), 76 (2); - / vipman4 – S. 130

Getty Images / AFP, Michael Field, Staff, München – S. 129; -/ AFP, YOSHIKAZU TSUNO – S. 129; - / VINCENZO PINTO, Staff – S. 129

© Nick Hanna / Alamy – S. 89; © David Hockney / Photo Credit: Richard Schmidt, L.A. – S. 93; „Holzmantel" von Maik Scheermann. Regionalmanagement Stadt und Landkreis Bayreuth, www.energy-in-art.de – S. 61

Jeremy Laffon, Marseille – S. 83; Claudia Lutz, Alzenau – S. 13, 41 (4), 42 (5), 55, 73, 75 (5), 76, 80 (2), 93, 120 (3), 121, 123 (5), 130 (4), 131 (4), 139 (2)

© Man Ray Trust, Paris / VG Bild-Kunst, Bonn 2017 – S. 117; © Yon Marsh / Alamy – S. 87

© Niki Charitable Art Foundation / VG Bild-Kunst, Bonn 2017 – S. 110, 155

© Pollock-Krasner Foundation / VG Bild-Kunst, Bonn 2017 – S. 141; Preußischer Kulturbesitz / Bayrische Staatsgemäldesammlungen, Berlin – S. 118; - / CNAC-MNAM, Man Ray – S. 117 (2); - / RMN, Grand Palais – S. 117 (2); - / The Solomon R. Guggenheim Foundation, Art Resource NY – S. 141

Veronika Richterová: The Collection of Cactuses (detail), PET-ART 2008-2009, height 210cm. Photo Michal Cihlář – S. 129

© Succession H. Matisse / VG Bild-Kunst, Bonn 2015 – S. 55; © Successió Miró / VG Bild-Kunst, Bonn 2017 – S. 141; © Succession Picasso / VG Bild-Kunst, Bonn 2017 – S. 55, 65, 117; Studio Tony Cragg / Rocco Ricci, Wuppertal – S. 87, 129; - / Michael Richter – S. 87

Thinkstock / iStockphoto – S. 85; - / iStockphoto, Peter Austin – S. 79; - / iStockphoto, belchonock – S. 139; - / iStockphoto, boggy22 – S. 77; - / iStockphoto, David Garry – S. 77; - / iStockphoto, Dragon Images – S. 113; - / iStockphoto, nvelichko – S. 139; - / iStockphoto, RuslanaQuispe – S. 113; - / iStockphoto, shironosov – S. 113; - / iStockphoto, vovashevchuk – S. 85; - / iStockphoto, Rony Zmiri – S. 85; - / Stockbyte, George Doyle – S. 113; - / VStock, Vstock LLC – S. 113

ullstein bild, Berlin – S. 55 (2), 149; - / Elmar Hartmann – S. 77; - / Heritage Images / Fine Art Images – S. 108; - / Reuters / JON NAZCA – S. 118; - / Reuters / VINCENT WEST – S. 127; - / TopFoto – S. 110; - Roger Viollet, Jack Nisberg – S. 152; - / Wefringhaus – S. 61

© VG Bild-Kunst, Bonn 2015 – S. 65, 87 (2), 110, 129 (2), 135, 137 (3)

Ursus Wehrli, Tannzweige aufräumen, erschienen in: Ursus Wehrli, Die Kunst aufzuräumen, Copyright © 2011 KEIN & ABER AG, Zürich-Berlin – S. 87; www.wikimedia.org / CC-0 – S. 53, 113; - / CC-SA – S. 55; - / Dagny / CC-0 – S. 104; - / Gerhard Giebener / CC-SA – S. 91

Zentrum Paul Klee, Bern, Schenkung Familie Klee / Fee Meisel – S. 108
936 Das 30 Tage Fax Bild, 1994 / © 2014 Hundertwasser Archiv, Wien – S. 95